Monografías de climatización
y ahorro energético

Turbinas de gas

Ángel Luis Miranda Barreras
Catedrático del Departamento
de Mecánica de Fluidos, Termotecnia
y Física de la Escuela Universitaria
de Ingeniería Técnica Industrial de Barcelona

ediciones
ceac

Nota: En el texto se utiliza la coma (,) para marcar los decimales, pero en el programa de ordenador se ha utilizado la notación anglosajona y los decimales se marcan con punto (.).

Diseño de cubierta: Víctor Viano
Ilustraciones: Luis Bogajo
Diseño de los programas Propieda y Brayton: A. L. Miranda

© A. L. Miranda
© Grupo Editorial Ceac, S.A., 1998
Para la presente versión y edición en lengua castellana
Ediciones Ceac es marca registrada por Grupo Editorial Ceac, S.A.
ISBN: 84-329-6559-6
Depósito legal: B. 33.027-1998
Gráficas y Encuadernaciones Reunidas, S.A.
Impreso en España - *Printed in Spain*
Grupo Editorial Ceac, S.A. Perú, 164 - 08020 Barcelona
Internet: http://www.ceacedit.com

CONTENIDO

3. UTILIZACIÓN DE LOS PROGRAMAS BRAYTON Y PROPIEDA

PRESENTACIÓN

La turbina de gas es el motor térmico que ha experimentado el mayor crecimiento porcentual de penetración en el mercado durante estos últimos años. La razón obedece al importante incremento de los sistemas de cogeneración por gas natural (en España se prevé una potencia eléctrica instalada en cogeneración de unos 3.700 MW a finales de 1997, lo que equivale a unas cuatro centrales nucleares). El aumento de la gasificación en los próximos años hace pensar que el uso de la turbina de gas seguirá incrementándose.

Es por ello por lo que el presente libro del profesor Ángel Luis Miranda adquiere en este momento un especial interés por cuanto constituye una notable aportación a la literatura técnica sobre el campo de las turbinas de gas.

La experiencia del autor, adquirida durante varios años como profesor de Termotecnia para alumnos de Ingeniería Mecánica, le ha permitido estructurar con acierto una obra en la que conduce al lector, de forma progresiva, desde los ciclos termodinámicos más sencillos (ciclo simple o Brayton de turbina de gas) hasta los más sofisticados (ciclos con recalentamiento intermedio, compresión multietapa y regenerador de calor). Esta metodología, acompañada de numerosos ejemplos, todos ellos de acuerdo con condiciones reales de trabajo en las turbinas de gas, permite al lector adquirir gradualmente los conocimientos necesarios para conseguir una adecuada formación en la termodinámica de las turbinas de gas.

Un aspecto de la obra que creo que resulta interesante resaltar es el de la incorporación de programas informáticos, que facilitan la simulación y el cálculo de diferentes tipos de ciclos de turbinas de gas. Este material constituye una valiosa herramienta de formación, ya que permite al lector, mediante el uso de un simple ordenador personal, realizar numerosos ejercicios prácticos variando diferentes parámetros y propiedades termodinámicas para la resolución de ciclos de distintos niveles de dificultad.

Por todo este conjunto de razones, unidas a la sencillez y claridad de exposición del texto, considero que este libro supone un elemento de ayuda de indudable valor en el proceso de formación técnica de aquellas personas que deseen introducirse en el campo de las turbinas de gas, o incluso para aquellas otras que, a pesar de poseer conocimientos del mismo, deseen disponer de un cuerpo de doctrina termodinámica que debidamente estructurado les permita profundizar de forma ordenada y metódica en este ámbito.

Dr. Miguel Villarrubia
Prof. Titular de Ingeniería de Sistemas
Facultad de Física. Universidad de Barcelona

PRÓLOGO

La turbina de gas constituye la tercera vía práctica de obtención de potencia mediante una máquina térmica. Las otras dos son la turbina de vapor y el motor de combustión. Cada una de estas máquinas térmicas tiene sus especiales características. La instalación de la turbina de vapor permite obtener potencias en el eje de hasta 1.500 MW, mientras que en la turbina de gas las potencias máximas son mucho menores, aunque mayores que en los motores de combustión interna. Sin embargo, la potencia específica, tanto por unidad de masa como por unidad de volumen, es mayor en la turbina de gas que en la turbina de vapor y que en el motor de combustión. El combustible utilizado en la turbina de gas puede ser del mismo tipo que en el motor de combustión, pero es más caro, en general, que el utilizado en la instalación de vapor. Una característica a favor de la turbina de gas está en el tiempo increíblemente corto que tiene en la parada y en el arranque, por lo que es un elemento imprescindible como sistema auxiliar de arranque o de emergencia.

El libro va acompañado de dos programas, uno denominado PROPIEDA y otro denominado BRAYTON. El primero permite obtener las propiedades termodinámicas del gas que se utiliza en el motor de turbina de gas. Se trata de un programa pensado para resolver a mano los problemas planteados en el libro. El segundo permite llevar a cabo el análisis termodinámico de un ciclo Brayton a partir de los datos de entrada, en los supuestos de considerar el gas perfecto o semiperfecto, a elección del usuario. El análisis termodinámico del ciclo real es difícil de efectuar. Suelen hacerse simplificaciones que agilizan el cálculo, aunque es evidente que introducen aspectos de aproximación que hay que matizar. El programa BRAYTON no es un programa profesional, aunque dentro de sus limitaciones, el cálculo que realiza es totalmente fiable. Su objetivo es didáctico: pretende ahorrar al lector los tediosos cálculos que de otra forma debería hacer a mano, mediante calculadoras, tablas y gráficos. El grado de aproximación del programa BRAYTON viene determinado por los aspectos reales que contempla, que son los siguientes:

- Compresión y expansión no isentrópicas.
- Rendimiento de la cámara de combustión.
- Caída de presión en la cámara de combustión.
- Eficacia del recuperador.
- Posibilidad de efectuar la compresión en etapas con refrigeración intermedia.
- Posibilidad de llevar a cabo la expansión en etapas con recalentamientos intermedios.
- Posibilidad de considerar caudales diferentes antes y después de la cámara de combustión.

El programa permite determinar el trabajo de compresión, el trabajo de expansión, el trabajo neto, el calor aportado, el rendimiento del ciclo y las temperaturas de salida de los diferentes elementos del ciclo.

También tiene limitaciones, que honestamente no pueden soslayarse:

No contempla pérdidas de presión por rozamiento en los trayectos que recorre el gas cuando se aproxima a la cámara de combustión.

Admite sólo tres etapas, como máximo, de compresión, y tres etapas, como máximo, de expansión. Entre las etapas de compresión *siempre* hay refrigeración intermedia y entre las etapas de expansión *siempre* hay recalentamiento intermedio.

Calcula la entalpía del gas a partir de la cámara de combustión como aire caliente, a pesar de tener en cuenta las diferencias de caudal entre el gas comprimido y el gas que circula por la turbina.

1

LA TURBINA
DE GAS.
ANTECEDENTES

1. Introducción

El motor de turbina de gas es una máquina térmica que transforma la energía de un combustible en trabajo mecánico, que se obtiene mediante la acción de una turbina de gas. La energía del combustible se transforma previamente en calor, en una cámara de combustión, donde el combustible se quema con aire. Este calor aumenta considerablemente la entalpía del gas que entra en la turbina. Hay que indicar que se conoce con el nombre genérico de *turbina de gas* todo el dispositivo, es decir el motor de turbina de gas. El gas antes de llegar a la cámara de combustión se comprime por medio de un compresor, o de un difusor en algunos casos, con el fin de que llegue a la turbina con el necesario grado de compresión. La turbina arrastra al compresor, por lo tanto el trabajo útil de la turbina se emplea en parte en accionar el compresor. El trabajo sobrante es el trabajo neto obtenido.

2. Clasificación

2.1. Introducción

Para clasificar los motores de turbina de gas utilizaremos tres criterios diferentes:

a) Según el tipo de ciclo.
b) Según la utilización.
c) Según el número de ejes.

2.2. Según el tipo de ciclo

En función de la clase de ciclo que empleen, los motores de turbina de gas se dividen en:

• *Turbina de gas de ciclo abierto*. El fluido de trabajo es aire atmosférico que se comprime en un compresor y se utiliza como aire de la combustión en una cámara de combustión, de la que saldrán unos gases (los productos de la combustión) que entrarán en la turbina. El escape se realiza a la atmósfera (Fig. 1.1). La compresión y la ex-

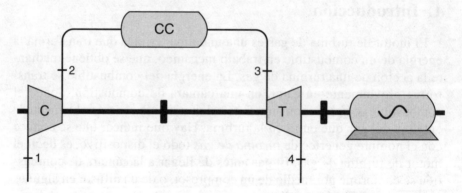

Figura 1.1. Ciclo abierto simple.

pansión pueden llevarse a cabo con un solo compresor y una sola turbina, o bien con varios compresores y varias turbinas, con conexiones en serie o en paralelo. Si hay más de un compresor siempre habrá refrigeración intermedia. Si hay más de una turbina podrá haber recalentamientos intermedios, aunque no necesariamente (Fig. 1.2).

• *Turbina de gas de ciclo cerrado*. El fluido de trabajo puede ser un gas menos oxidante que el aire, como el nitrógeno. La cámara de combustión es externa, de forma que debe utilizarse un circuito secundario para calentar el gas antes de que llegue a la turbina. El gas

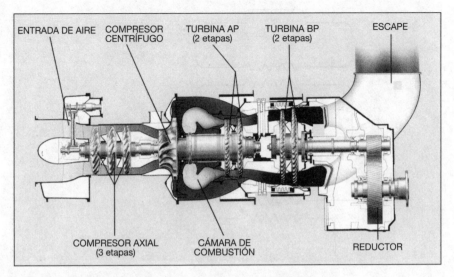

Figura 1.2. Modelo MAKILA de Turbomeca. (Imagen cedida por gentileza de Turbomeca.)

que sale de la turbina debe enfriarse mediante un intercambiador antes de ser aspirado por el compresor. Obsérvese que el proceso completo constituye un ciclo cerrado de etapas abiertas (Fig. 1.3 *a*).

• *Turbina de gas de ciclo simple.* Es el dispositivo más sencillo, consta de un compresor, una turbina y una cámara de combustión. Los esquemas mostrados en las figuras 1.1 y 1.3 *a* son turbinas de gas de ciclo simple.

• *Turbina de gas de ciclo regenerativo.* El gas comprimido que sale del compresor se calienta aprovechando la entalpía de los gases de escape de la turbina mediante un recuperador entálpico, que se coloca antes de la cámara de combustión. La finalidad del ciclo regenerativo, más caro que el simple, es aumentar el rendimiento de la máquina ahorrando combustible en la cámara de combustión (Fig. 1.3 *b*).

2.3. Según la utilización

El motor de turbina de gas actualmente se utiliza en los siguientes campos:

15

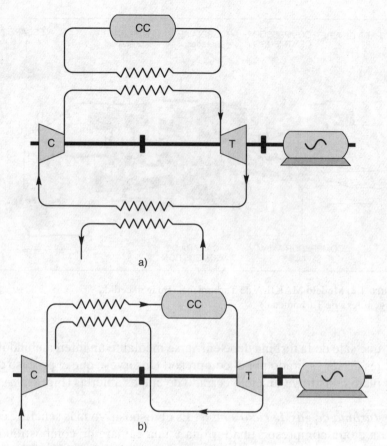

Figura 1.3. *a)* Ciclo cerrado simple. *b)* Ciclo abierto regenerativo.

- *Sobrealimentación de los motores de combustión.* Los gases de escape del motor se utilizan para alimentar la turbina; por tanto, se trata de un motor de turbina de gas que carece de cámara de combustión. La potencia útil de la turbina se emplea en el compresor para sobrealimentar el motor de combustión.

- *Propulsión aeronáutica.* Es una de las aplicaciones más importantes del motor de turbina de gas. El turborreactor y el motor de turbohélice son los elementos más representativos. Hay que señalar que no todos los motores aeronáuticos de reacción son turbinas de gas; sólo hay que clasificar como turbinas de gas los motores no autónomos (los autónomos son los vulgarmente denominados *cohetes*). Los no autónomos, a su vez, pueden dividirse en motores con compresor y sin compresor. Los motores sin compresor ofrecen alguna duda en cuanto a su inclusión entre las turbinas de gas; la compresión se lleva a cabo en un difusor que transforma la energía cinética del aire en presión.

- *Producción de energía eléctrica*. Generalmente para producir energía eléctrica se prefiere la instalación de vapor; sin embargo, se utiliza el motor de turbina de gas como unidad de arranque y grupo de emergencia. Una característica importante del motor de turbina de gas es que tiene una puesta en marcha rápida; apenas transcurren unos segundos desde la parada hasta la plena carga.

- *Instalaciones de cogeneración*. Las turbinas de gas de las instalaciones de cogeneración son del mismo tipo que las utilizadas en la producción de energía eléctrica. Sin embargo, dado el auge creciente de la cogeneración, empiezan a fabricarse modelos específicos.

- *Propulsión marítima*. En este caso es de gran utilidad la elevada potencia específica que proporciona la turbina de gas.

- *Propulsión terrestre*. Hay que decir que en la actualidad esta aplicación aún es incipiente, aunque tiene algunas realizaciones en el campo del transporte público.

- *Estaciones de bombeo de los gaseoductos*. Se utiliza la presencia del gas en el lugar de consumo para accionar los compresores de bombeo mediante turbinas de gas.

En cada uno de estos campos los motores de turbina de gas tienen características propias.

2.4. Según el número de ejes

La instalación de la turbina de gas simple es de un solo eje; es decir, la turbina acciona directamente el compresor, mediante los oportunos ajustes de velocidad. Sin embargo, si hay más de un compresor y de una turbina, pueden plantearse disposiciones de uno, dos o tres ejes. La idea de utilizar más de un eje tiene el propósito de obtener una mayor como-

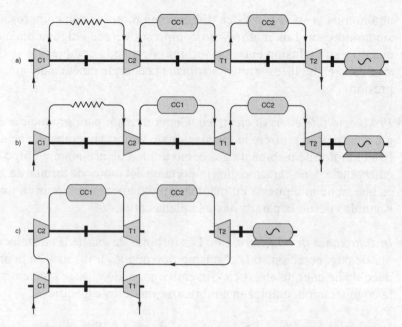

Figura 1.4. *a)* Ciclo abierto con dos etapas de compresión y dos etapas de expansión, y con un eje. *b)* Instalación con dos ejes. *c)* Instalación con tres ejes.

didad de regulación. Así, por ejemplo, puede utilizarse una turbina de velocidad constante para accionar el generador y otra de velocidad variable para accionar los compresores.

En la figura 1.4, se han representado tres posibilidades de montaje: con un eje, dos ejes y tres ejes. El esquema *a* es una turbina de gas con dos compresores y dos turbinas con un solo eje. El esquema *b* representa la misma instalación con dos ejes; la segunda turbina es la que acciona el generador. El esquema *c* es una instalación de dos compresores y tres turbinas con recalentamiento intermedio y tres ejes.

Hay que advertir que las combinaciones que pueden efectuarse teniendo en cuenta el número de ejes, el número de compresores y turbinas, los recalentamientos intermedios y las conexiones en serie o en paralelo son muy elevadas. No pretendemos aquí dar una información completa sobre este tipo de montajes; el lector interesado encontrará en la bibliografía [3] información más completa sobre este tema.

3. Elementos constituyentes

3.1. El compresor

El compresor de la turbina de gas es un turbocompresor de tipo radial o axial; algunas turbinas de gas con más de un compresor pueden tener los primeros del tipo axial y los otros radiales. El compresor utilizado en el motor de turbina de gas no es distinto del empleado para otros usos.

3.2. La turbina

La turbina propiamente dicha del motor de turbina de gas es de tipo axial, aunque posee algunas características propias que la diferencian de la turbina de vapor. La turbina de gas se caracteriza por:

- Presiones de utilización más bajas. Esto redunda en unas paredes más delgadas y piezas menos pesadas.

- Temperaturas más elevadas. Debe tenerse especial cuidado con los materiales que estén expuestos a las zonas de mayor temperatura. En estas zonas, se han de utilizar aleaciones especiales de gran calidad, que sean muy resistentes a la temperatura.

- Mayor facilidad de montaje y fabricación, y, por consiguiente, menor precio.

3.3. La cámara de combustión

En la cámara de combustión se lleva a cabo, como tarea principal, la combustión del combustible con aire como comburente. La entrada de combustible se realiza mediante una serie de válvulas de inyección. La temperatura que se alcanzaría con la cantidad teórica de aire sería muy elevada, con lo cual se dañarían los álabes de la turbina y en general toda la zona de entrada a la misma. Para que no se alcancen temperaturas tan elevadas se utiliza un coeficiente de exceso de aire entre 3,5 y 5. La cantidad total de aire no se mezcla directamente con el combustible, puesto que daría lugar a una combustión inestable.

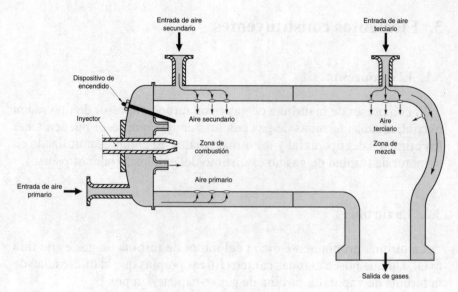

Figura 1.5. Cámara de combustión.

En la cámara (Fig. 1.5) se distinguen dos partes: la zona de llama y la zona de mezcla. En la primera, tiene lugar la combustión; en la segunda, se mezclan los productos con aire para obtener temperaturas más bajas. Así pues, en la cámara de combustión no sólo se lleva a cabo la oxidación del combustible, sino la pulverización y vaporización si se trata de un combustible líquido, la mezcla del combustible con aire, la inflamación y combustión de la mezcla, y la posterior dilución con el aire terciario a fin de no tener temperaturas excesivamente altas.

Se distinguen tres flujos distintos de aire:

a) El *aire primario,* que es el primero en mezclarse con el combustible, con el que forma una mezcla rica y fácil de inflamar.

b) El *aire secundario,* que entra en la cámara a través de unos orificios laterales y se mezcla directamente con los productos en ignición con el objetivo de asegurar una combustión completa del combustible (tanto el aire primario como el secundario participan directamente en la combustión, con un coeficiente de exceso algo menor del 50 % del total).

c) El *aire terciario,* que se mezcla directamente con los productos de la combustión en la zona de mezcla de la cámara, con la finalidad principal de enfriarlos hasta que alcancen la temperatura idónea de entrada en la turbina.

La cámara de combustión debe ser refrigerada. Para ello se utiliza una película de aire alrededor del quemador; esta función la lleva a cabo el aire secundario, en parte, y el aire terciario. De esta manera, la cámara debe estar constituida por dos elementos: un armazón interior resistente a las altas temperaturas y un armazón exterior que resista las elevadas o moderadas presiones que proporcione el compresor.

Los combustibles más utilizados en la turbina de gas son, por orden de importancia:

- Gas natural.
- Gas de altos hornos.
- Gasolina.
- Queroseno.
- Gasóleo.
- Aceite de alquitrán.
- Carbón.

El combustible mejor situado para convertirse en el más representativo del motor de turbina de gas es el gas natural [8] por su elevado grado de limpieza y su alto poder calorífico. El gas de altos hornos es mucho más barato que el gas natural, pero tiene el inconveniente de tener un poder calorífico bajo y, además, un contenido en monóxido de carbono nada despreciable.

En el caso de utilizar carbón, suele emplearse un calentador de aire en lugar de utilizar directamente la cámara de combustión; de otro modo, las partículas sólidas arrastradas por los productos podrían perjudicar los álabes de la turbina.

Es muy importante que la cámara de combustión tenga un elevado rendimiento, que se define como el cociente entre el calor aportado y el poder calorífico inferior del combustible. Este rendimiento actualmente está entre el 95 y el 99 %. Otro aspecto relevante es la pérdida de presión en la cámara, lo que redunda en una menor expansión en la turbina. Si expresamos la pérdida de presión en tanto por ciento en relación con la presión de entrada en la cámara, esta pérdida no debe ser mayor del 3 %, aunque en los turborreactores puede ser algo mayor.

Un problema de las cámaras de combustión actuales es la emisión de gases contaminantes, principalmente los NO_x. Hay que esperar que en un futuro inmediato se endurezca la legislación sobre la emisión de estas sustancias. Las diversas técnicas que se utilizan para evitar o reducir al máximo la formación de los NO_x son:

- Inyectar vapor de agua en la cámara de combustión.

- Trabajar con temperaturas moderadas, refrigerando la cámara de combustión.

- Utilizar ciertos catalizadores que impidan la formación de los NO_x.

Las turbinas de gas modernas emiten alrededor de 400 mg/Nm³ con los mecanismos estándar, mientras que pueden llegar sólo a 100 mg/Nm³ con esas técnicas de reducción si se utiliza gas natural y hasta 200 mg/Nm³ con fuel. Hay que advertir que estos datos son puramente orientativos y que pueden variar de unos modelos a otros.

3.4. El regenerador

El regenerador es un intercambiador de calor que se utiliza para aprovechar la entalpía de los gases de escape de la turbina. No es un elemento esencial de la instalación; sólo lo llevan los ciclos regenerativos. El intercambiador puede ser:

- *Regenerador tubular*. Se trata de un típico intercambiador de coraza y tubos (Fig. 1.6 *a*). El aire pasa por el interior de los tubos, y los gases de escape, por la carcasa, con flujos relativos que pueden ser a contracorriente, en paralelo o cruzados. Es preferible que el aire pase por los tubos; de esta manera la carcasa tendrá un espesor menor, dada la menor presión de los gases de escape.

- *Regenerador en placas*. Es un intercambiador constituido por placas onduladas (Fig. 1.6 *b*) situadas en planos paralelos, de forma que

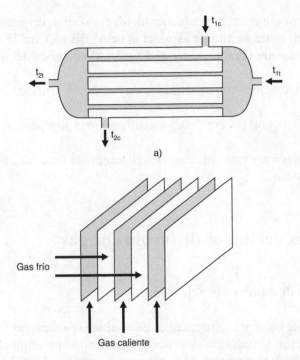

Figura 1.6. *a)* Regenerador de coraza y tubos. *b)* Regenerador de placas.

uno de los fluidos pasa por el espacio entre planos y el otro por el siguiente, y así sucesivamente hasta el último canal.

• *Regenerador rotativo*. El aire y los gases circulan por conductos fijos, pero intercambian calor a través de una superficie en lento movimiento de rotación. Son intercambiadores muy compactos, de alta eficacia, que pueden presentar, sin embargo, problemas de estanqueidad.

3.5. Elementos auxiliares

El motor de turbina de gas debe incluir ciertos elementos auxiliares, pero no por ello menos importantes, como son:

• El sistema de alimentación de aire, con los debidos dispositivos de control y filtraje.

- Silenciadores, por ejemplo, para obtener un nivel máximo de presión sonora en 5 m en toma de aire de aspiración de 65 dB (A), de 75 dB (A) en toma de aire de combustión y de 75 dB (A) en salida de aire.

- Sistema de lubrificación, con los equipos de bombeo y filtraje.

- Sistema hidráulico, con las bombas y circuitos correspondientes.

- Sistema de regulación y control, con todo el equipo de sistema e instrumental necesario.

4. Aplicaciones del motor de turbina de gas

4.1. Cogeneración de calor y electricidad

La cogeneración de calor y electricidad es un conjunto de técnicas que permiten la producción simultánea de calor y electricidad en el mismo lugar de consumo [7]. Los sistemas de cogeneración suelen clasificarse en función del tipo de máquina térmica que se utiliza en la conversión de calor en trabajo:

- Motor de combustión.
- Turbina de gas.
- Turbina de vapor.
- Sistema con ciclo combinado de turbina de gas y turbina de vapor.

La utilización de un motor de turbina de gas en cogeneración se basa en la posibilidad de conectar a la turbina un generador para producir electricidad y aprovechar, mediante un intercambiador de calor, la entalpía de los gases de escape para calentar agua, aire o cualquier otro producto. En la figura 1.7 se ha representado el esquema de una instalación de este tipo. Actualmente, la gama de potencias eléctricas producidas está entre 0,5 MW y 250 MW, con salida de los gases de escape a entre 350 y 600 °C. La relación entre calor y trabajo se sitúa entre 1,8 y 2,5 aproximadamente.

El aprovechamiento del calor en una instalación de cogeneración encuentra una de las siguientes aplicaciones:

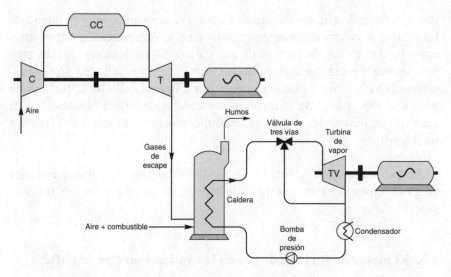

Figura 1.7. Ciclo combinado de turbina de gas y turbina de vapor.

- Producción de vapor de agua en una caldera de recuperación.
- Precalentamiento y secado de sólidos sin problemas de oxidación.
- Producción de agua caliente de calefacción y de servicios.

El ciclo combinado consiste en asociar una turbina de gas y una turbina de vapor para producir corriente eléctrica (Fig. 1.7). La turbina de gas genera los gases para calentar el agua de la caldera y transformarla en vapor; este vapor se utiliza para accionar una turbina de vapor que, a su vez, acciona otro generador. El ciclo combinado es un sistema que trabaja mejor en condiciones de carga parcial que el motor de turbina de gas. En la figura se ha indicado una entrada de aire y combustible en la caldera, de esta forma el funcionamiento de la caldera no depende exclusivamente de la turbina de gas. También se ha señalado una válvula de tres vías con un *by-pass* sobre la entrada del vapor en la turbina de vapor; es la forma habitual de regular la turbina.

4.2. El motor de turbina de gas en las centrales eléctricas

La producción de energía eléctrica con motores de turbina de gas, como elementos base, es más cara que con turbinas de vapor; sin embargo, como unidades punta y grupos de emergencia, son cada vez más utilizados. Un tiempo mínimo de puesta en marcha, consumo muy pequeño de lubricante y gastos de mantenimiento y revisión reducidos hacen muy apropiado el motor de turbina de gas para estos menesteres. En los grupos de emergencia suelen emplearse turbinas de gas de ciclo no regenerativo. No obstante, aunque el costo por kW instalado de la turbina de gas es menor que el de la turbina de vapor, no ocurre lo mismo con el gasto de combustible, ya que el rendimiento es menor (un 24 % frente a un 33 %).

Actualmente suele asociarse un motor turborreactor como generador de gas y un motor convencional de turbina de gas para suministrar potencia.

4.3. El motor de turbina de gas en las aplicaciones aeronáuticas

Tal como ya hemos indicado sólo los motores de reacción no autónomos con turbocompresor pueden considerarse auténticos motores de turbina de gas. En los no autónomos sin turbocompresor, por ejemplo los estatorreactores, la compresión del aire se realiza mediante un difusor que transforma la energía cinética en presión. El programa BRAYTON no permite la resolución de los ciclos correspondientes a este tipo de motores. Los motores de turbina de gas de aviación [3,12, 14, 15] se clasifican en:

- *Turborreactores de flujo único* (Fig. 1.8). Es el motor más sencillo y de mucha aplicación en aviación civil y militar. El empuje se realiza acelerando el gas de escape en una tobera, de forma que en este motor hay una recuperación indirecta de la entalpía, lo cual produce rendimientos mayores en este tipo de motores que en los terrestres. La potencia de la turbina se aplica de forma única al compresor.

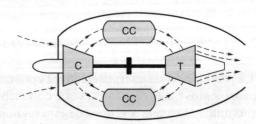

Figura 1.8. Turborreactor de flujo único.

26

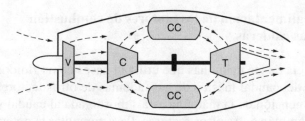

Figura 1.9. Turborreactor de doble flujo.

- *Turborreactores de doble flujo* (Fig. 1.9). En los turborreactores de doble flujo, el empuje se crea de la misma forma que en los de flujo único, pero con un flujo adicional (flujo secundario) proporcionado por un ventilador o turbocompresor situado en la cola del motor. Son muy apropiados para alcanzar altas velocidades con un buen rendimiento. Actualmente, son los que se prefieren en aviación comercial por sus altas prestaciones (mayor rendimiento, mayor empuje y menor ruido). Sin embargo, hay que tener presente que este motor, debido a la incorporación del ventilador o turbocompresor adicional, tiene un peso superior.

- *Turbohélices* (Fig. 1.10). En este motor de turbina de gas, el trabajo neto se aplica a una hélice que proporciona más del 90 % del empuje total. El empuje restante lo produce el chorro de gases de escape de la turbina. Este motor es ideal para la gama de velocidades intermedias (entre 400 y 700 km/h).

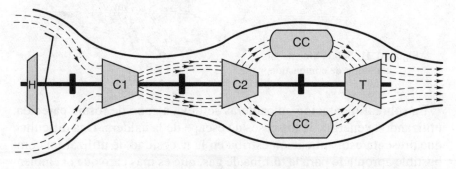

Figura 1.10. Turbohélice.

4.4. Sobrealimentación de los motores de combustión y de las calderas

La potencia de las máquinas que utilizan gases como fluidos de trabajo depende del caudal másico de gas, además de otros factores. Por otra parte, la dimensión de la máquina está subordinada al caudal volumétrico de gas, también entre otros factores. Para aumentar la potencia dejando igual la dimensión puede actuarse en dos direcciones diferentes: incrementar la velocidad de circulación del fluido o incrementar la presión. Si se eleva la velocidad aumentan las pérdidas de carga por rozamiento, con lo que disminuye el rendimiento. Parece una posibilidad más prometedora incrementar la presión, con lo cual aumenta la densidad y, en consecuencia, el caudal másico. Esta segunda opción es la que se conoce técnicamente con el nombre de *sobrealimentación*.

La sobrealimentación de los motores de combustión consiste en utilizar los gases de escape del motor de combustión interna de explosión o de compresión para accionar la turbina (Fig. 1.11). El trabajo útil de la turbina se utiliza para accionar un compresor que eleva la presión del aire a la entrada del motor. Este motor de turbina de gas carece de cámara de combustión porque los gases de escape del motor llevan la energía suficiente.

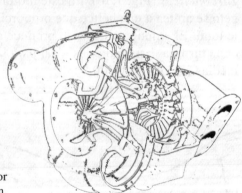

Figura 1.11. Sobrealimentador de motor de combustión.

La sobrealimentación en calderas se lleva a cabo de forma parecida, utilizando la energía de los gases de escape de la caldera. Una dificultad que presenta esta aplicación estriba en la necesidad de utilizar un combustible apropiado para la turbina de gas, que es más caro que el empleado comúnmente en la caldera.

5. Especificación de las turbinas de gas

Algunas características de la turbina de gas están influenciadas por la temperatura de admisión (en el apartado 6 del capítulo 2 se revisa esta cuestión con más detalle), por lo que deben especificarse para unas condiciones estándar. La norma ISO 2314 establece las condiciones del aire a la entrada: 15 °C, 60 % de humedad relativa, 1,013 bar de presión y 0 m sobre el nivel del mar. Las características que acostumbran a especificarse son:

- Potencia eléctrica de salida (si el objetivo es la producción de energía eléctrica) en kW.
- Consumo específico de energía en kJ/kWh.
- Caudal másico de los gases de escape en kg/s.
- Temperatura de los gases a la salida en °C.

Alguna de estas características se presenta, de forma cualitativa, en función de la temperatura de admisión, en la figura 1.12.

Dado que las condiciones de funcionamiento reales no coinciden con las estándar, los fabricantes acostumbran a indicar las correcciones que

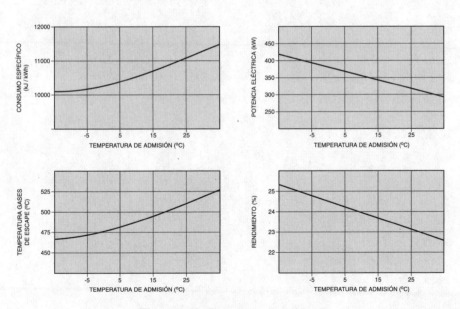

Figura 1.12. Curvas características.

29

deben efectuarse para trasladar las especificaciones estándar a las reales. Por ejemplo:

- El factor de reducción de potencia por altitud en kW/m.

- El factor de reducción de potencia por pérdida de carga en los conductos en kW/Pa.

- El factor de variación de potencia por cambio en la temperatura del aire en la admisión.

2
ANÁLISIS DE LOS CICLOS TERMODINÁMICOS DE LA TURBINA DE GAS

1. Introducción

En este capítulo se lleva a cabo el estudio de los ciclos de la turbina de gas. El análisis termodinámico del ciclo permitirá obtener conclusiones que pueden trasladarse a la instalación real, en la medida que se hayan tenido en cuenta lo que en el capítulo 1 llamábamos *aspectos reales*, como son los rendimientos isentrópicos, caídas de presión, etc., así como la determinación de las auténticas propiedades termodinámicas del gas antes y después de la cámara de combustión.

Si se consideran todos los aspectos reales, al menos los más importantes, el resultado que se obtenga será muy satisfactorio, pero el cálculo deberá hacerse paso a paso ante la imposibilidad de conseguir expresiones compactas que faciliten el cómputo inmediato del rendimiento. A veces es conveniente disponer de expresiones que permitan efectuar un cálculo estimativo rápido, aunque no sea de gran exactitud. Para ello, hemos incluido los siguientes apartados, en los que se supone que el gas tiene un comportamiento de gas perfecto; los aspectos reales se han introducido de forma progresiva. Con el programa BRAYTON, se pueden llevar a cabo los cálculos con un grado de aproximación a la realidad mucho mayor.

2. El gas ideal

2.1. Introducción

El fluido de trabajo del motor de turbina de gas es un gas que está alejado de las condiciones de condensación. Aunque en una parte del circuito el gas está comprimido, raramente se alcanzan presiones superiores a 10 bar. Todo ello nos hace plantear la cuestión de si podrá utilizarse el modelo de comportamiento de gas ideal. Recordemos brevemente la termodinámica del gas ideal.

2.2. Definición

Un gas ideal es el que cumple de forma exacta la ecuación de estado:

$$pv = R'T \tag{1}$$

donde p es la presión absoluta del gas
v es el volumen específico
T es la temperatura absoluta
R' es la constante específica del gas, definida a partir de:

$$R' = \frac{R}{M} \tag{2}$$

siendo R la constante universal de los gases, cuyo valor es 8.314 J/kmol K
M la masa molecular del gas en kg/kmol.

2.3. Clasificación

Una característica importante de los gases ideales es que el calor específico a presión constante, c_p, y el calor específico a volumen constante, c_v, no dependen de la presión [1]. Recordemos la definición de ambos calores específicos:

34

$$c_p = \left(\frac{\partial h}{\partial T}\right)_p \qquad (3)$$

$$c_v = \left(\frac{\partial u}{\partial T}\right)_v \qquad (4)$$

donde h es la entalpía

u es la energía interna.

Los subíndices p y v que aparecen al lado de los paréntesis indican que las derivadas parciales deben efectuarse a presión y volumen constantes, respectivamente.

Es conocida la relación entre ambos:

$$c_p - c_v = R' \qquad (5)$$

llamada *relación de Mayer*.

El cociente entre c_p y c_v se llama *exponente de las adiabáticas*:

$$k = \frac{c_p}{c_v} \qquad (6)$$

que es constante si c_p y c_v lo son.

Sin embargo, estos calores específicos pueden variar con la temperatura. Clasificaremos los gases ideales en dos modalidades diferentes:

• *Gas ideal perfecto*. Es aquel cuyos calores específicos son constantes.

• *Gas ideal semiperfecto*. Es aquel cuyos calores específicos sólo dependen de la temperatura.

Hay que observar que ambos cumplen la ecuación de estado (1).

2.4. Gas ideal perfecto

Para calcular variaciones de energía interna o de entalpía podrán utilizarse las ecuaciones (3) y (4). Para obtener variaciones de entropía se empleará la ecuación:

$$ds = c_p \frac{dT}{T} - R' \frac{dp}{p} \tag{7}$$

Es evidente que, si c_p y c_v son constantes, pueden integrarse las expresiones anteriores, con lo que se cumplen las ecuaciones:

$$\Delta u = c_v \, \Delta T \tag{8}$$

$$\Delta h = c_p \, \Delta T \tag{9}$$

a partir de las cuales se pueden obtener la energía interna, la entalpía y la entropía para cualquier estado de un gas ideal perfecto si se define un estado de referencia y se asigna un valor arbitrario a éste. Es decir:

$$u = u^\circ + c_v \, (T - T^\circ) \tag{10}$$

$$h = h^\circ + c_p \, (T - T^\circ) \tag{11}$$

donde u°, h° son los valores asignados a la energía interna y a la entalpía a la temperatura de referencia T°.

Recordemos la relación entre la energía interna y la entalpía:

$$h = u + pv$$

donde p es la presión
$\quad v$ es el volumen específico.

O bien, para un gas ideal:

$$h = u + R'T$$

Tanto en los ejemplos prácticos, como en el programa PROPIEDA se ha tomado como temperatura de referencia:

$$T^\circ = 273,15 \text{ K}$$

Los valores asignados a la energía interna y a la entalpía de referencia son:

$$u^\circ = 0 \text{ kJ/kg}$$

$$h^\circ = u^\circ + R'T^\circ = 0 + R'T^\circ \text{ kJ/kg}$$

En el caso de la entropía:

$$s = s^\circ + c_p \, ln \, \frac{T}{T^\circ} - R' \, ln \, \frac{p}{p^\circ} \qquad (12)$$

siendo s° el valor asignado a la entropía en el estado de referencia dado por t° y p°.

En los ejemplos prácticos y en el programa PROPIEDA, se han tomado los siguientes valores:

$$T^\circ = 273,15 \text{ K}$$
$$p^\circ = 1,013 \text{ bar}$$
$$s^\circ = 0 \text{ kJ/(kg K)}$$

Ejemplo n.º 1

Determinar la energía interna, la entalpía y la entropía del aire a 2,5 bar y 600 K, considerando un comportamiento de gas perfecto. Las constantes del aire son:

$$c_p = 1.004 \text{ J/kgK}$$
$$c_v = 716,9 \text{ J/kgK}$$
$$R' = 287,1 \text{ J/kgK}$$
$$k = 1,4$$

$$u = u^\circ + c_v \, (T - T^\circ) = 0 + 0,7169 \, (600 - 273,15)$$
$$= 234,32 \text{ kJ/kgK}$$

$$h = h^\circ + c_p (T - T^\circ) = 0,2871 \times 273,15 + 1,004 (600 - 273,15)$$
$$= 78,42 + 328,16 = 406,58 \text{ kJ/kg K}$$

$$s = s^\circ + c_p \, ln \, \frac{T}{T^\circ} - R' \, ln \, \frac{p}{p^\circ} = 0 + 1,004 \, ln \, \frac{600}{273,15} - 0,2870 \, ln \, \frac{2,5}{1} =$$
$$= 0,5270 \text{ kJ/kg K}$$

2.5. Gas ideal semiperfecto

El gas ideal semiperfecto se caracteriza porque sus calores específicos a presión y volumen constantes varían con la temperatura. Las expresiones del c_p y del c_v dependientes de T pueden adoptar formas más o menos complejas en función del grado de exactitud requerido en los ajustes. En los ejemplos que seguirán y en el programa PROPIEDA, se han utilizado las expresiones [2], que se indican en la tabla 2.1. En la misma tabla, se incluyen los calores específicos a presión constante y el exponente de las adiabáticas para un comportamiento de gas perfecto.

Tabla 2.1. Ecuaciones del calor específico a presión constante, función de la temperatura y de R', c_p y c_v para gas perfecto.

Gas	Gas semiperfecto $c_p = c_p (T)$ (kj/kgK)	Gas perfecto c_p (kJ/kg K)	k	R' (kJ/kg K)
Aire	$c_p = 0,917 + 2,579.10^{-4} \, T - 3,973.10^{-8} \, T^2$	1,0045	1,40	0,2870
Hidrógeno	$c_p = 11,962 + 2,1609.10^{-3} \, T + 30,942/T^{0,5}$	14,2925	1,405	4,1199
Nitrógeno	$c_p = 1,415 - 287,982/T + 5,359.10^4/T^2$	1,0407	1,399	0,2968
Dióxido de carbono	$c_p = 1,541 - 345,218/T + 4,141.10^4/T^2$	0,8448	1,288	0,1889

En la tabla 2.1, no se ha incluido la expresión correspondiente al calor específico del helio, ni de ningún otro gas noble, dado que estos gases monoatómicos tienen un calor específico prácticamente constante, dentro de un amplio margen de temperaturas:

38

$$c_p = 5\,R'/2 \qquad\qquad (13)$$

$$c_v = 3\,R'/2 \qquad\qquad (14)$$

siendo R' la constante específica del gas.

Tampoco se han incluido las expresiones del calor específico a volumen constante, ya que siempre podrá obtenerse de forma sencilla a partir de la ecuación (5).

La energía interna, la entalpía y la entropía deberán calcularse por integración de las ecuaciones (3), (4) y (6). Las expresiones generales son:

$$u = u° + \int_{T°}^{T} c_v \, dT \qquad\qquad (15)$$

$$h = h° + \int_{T°}^{T} c_p \, dT \qquad\qquad (16)$$

$$s = s° + \int_{T°}^{T} c_p \, dT/T - \int_{p°}^{p} R' \, dp/p \qquad\qquad (17)$$

En los manuales de termodinámica, aparecen frecuentemente tabuladas las propiedades termodinámicas de diferentes gases ideales en la modalidad de comportamiento de gas semiperfecto. En los ejemplos que se acompañan a continuación, o bien se supondrá la utilización del programa PROPIEDA, o bien se utilizarán directamente las ecuaciones (15), (16) y (17).

Ejemplo n.º 2

Determinar la energía interna, la entalpía y la entropía del aire a 2,5 bar y 600 K, considerando un comportamiento de gas semiperfecto.

Teniendo en cuenta que $c_v = c_p - R'$ y utilizando las relaciones indicadas en la tabla 2.1, se obtiene:

$$u = 0 + \int_{273,15}^{600} (0{,}917 + 2{,}579.10^{-4}\,T - 3{,}973.10^{-8}\,T^2 - R')\,dT =$$
$$= 0{,}630\,(600 - 273{,}15) + 2{,}579.10^{-4}\,.\,0{,}5\,(600^2 - 273{,}15^2) -$$
$$- 3{,}973.10^{-8}\,.\,0{,}333\,(600^3 - 273{,}15^3) = 240{,}13 \text{ kJ/kg}$$

Análogamente:

$$h = 0,2871 \times 273,15 + \int_{273,15}^{600} (0,917 + 2,579.10^{-4}\,T - 3,973.10^{-8}\,T^2)\,dT =$$
$$= 78,42 + 333,932 = 412,35 \text{ kJ/kg}$$

y también:

$$s = 0 + \int_{273,15}^{600} (0,917 + 2,579.10^{-4}\,T - 3,973.10^{-8}\,T^2)\,dT/T -$$
$$- \int_{1}^{2,5} 0,2870\,dp/p = 0,537 \text{ kJ/kg K}$$

2.6. Determinación de la temperatura al final de un proceso isentrópico

2.6.1. Gas ideal perfecto

Consideremos la forma diferencial del primer principio [1] aplicado a un proceso reversible:

$$\delta q = du + pdv \tag{18}$$

Un proceso isentrópico implica que sea adiabático sin rozamiento. Si además el fluido es un gas ideal, se cumplirá:

$$c_v\,dT + R'T\,\frac{dv}{v} = 0$$

o bien utilizando [6]:

$$\frac{dT}{T} + (k-1)\,\frac{dv}{v} = 0$$

Integrando esta ecuación entre 1 y 2, y teniendo en cuenta que para un gas perfecto k es constante, es fácil deducir:

40

$$\frac{T_2}{T_1} = \left(\frac{v_2}{v_1}\right)^{1-k} \qquad (19)$$

y aplicando :

$$\frac{p_1 v_1}{T_1} = \frac{p_2 v_2}{T_2} \qquad (20)$$

tenemos:

$$\frac{T_2}{T_1} = \left(\frac{p_2}{p_1}\right)^{(k-1)/k} \qquad (21)$$

Generalmente, a partir de la ecuación (21), se obtiene la temperatura resultante al final de un proceso isentrópico.

2.6.2. Gas ideal semiperfecto

Un gas ideal semiperfecto no tiene el exponente de las adiabáticas constante. Por tanto, integrando la ecuación (7) e imponiendo la condición $\Delta s = 0$, obtendremos:

$$0 = \int_{T_1}^{T_2} cp \, dT / T - R' \, ln \, (p_2/p_1) \qquad (22)$$

Obsérvese que en esta ecuación la incógnita es T_2, que es el límite superior de la integral. La resolución a mano de esta ecuación es tediosa. Existen procedimientos para obtener la temperatura a partir de una variable intermedia denominada *presión relativa* [1], que puede tabularse o representarse gráficamente, en función de la temperatura. En los ejemplos que siguen se utilizará el programa PROPIEDA, que permite obtener esa temperatura, así como las propiedades termodinámicas usuales, para un gas semiperfecto.

Ejemplo n.º 3

El compresor de una turbina de gas aspira nitrógeno a 1 bar y 25 ºC. Lo comprime hasta 7,5 bar. Determinar la temperatura de salida, supuesta una compresión isentrópica, considerando las dos posibilidades: gas ideal perfecto y gas ideal semiperfecto.

a) Gas ideal perfecto:

Para calcular la temperatura T_2 utilizaremos la ecuación (21),

$$\frac{T_2}{273,15 + 25} = \left(\frac{7,5}{1}\right)^{(1,399 - 1)/1,399}$$

de donde obtenemos $T_2 = 529,67 \, K$.

b) Gas ideal semiperfecto:

Utilizando el programa PROPIEDA e introduciendo los datos iniciales que se piden, se obtiene el valor $T_2 = 527,33 \, K$.

Si se comparan ambos resultados, se puede afirmar que la suposición de comportamiento de gas perfecto conlleva un error del 0,44 %.

3. El ciclo Brayton simple

3.1. Introducción

El motor de turbina de gas en su versión más simplificada consta de un compresor, una cámara de combustión y una turbina que funciona en ciclo abierto. El compresor aspira aire atmosférico, lo comprime y lo envía a la cámara de combustión, donde experimenta un fuerte aumento de temperatura; a continuación, el gas llega a la turbina, donde se expande. La turbina arrastra en su movimiento al compresor, de tal forma que el trabajo neto es igual al de la turbina menos el del compresor en valor absoluto. Para estudiar este proceso, resulta útil considerar comparativamente un ciclo de potencia llamado *ciclo Brayton simple* (Fig. 2.1). La compresión y la expansión son isentrópicas. No se tienen en cuenta caídas de presión por rozamiento. Se supone que el proceso de aporte de calor en la cámara de combustión es a presión constante. En la figura 2.1, la

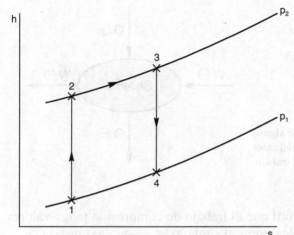

Figura 2.1. Representación del ciclo simple ideal.

etapa 1-2 corresponde a la compresión, la etapa 2-3 al aporte de calor y la etapa 3-4 a la expansión en la turbina. Aunque se trata de un proceso abierto en sentido estricto, puede considerarse un ciclo cerrado si se interpreta que la atmósfera cierra el ciclo.

3.2. Análisis del ciclo ideal

En los balances energéticos en el compresor, la turbina y la cámara de compresión, no suelen tenerse en cuenta las variaciones de energía potencial y energía cinética, ni siquiera el calor intercambiado con el medio ambiente. En este supuesto, el trabajo de compresión, el de expansión y el calor aportado a la cámara de combustión serán simples diferencias de entalpía.

El trabajo específico de compresión, w_c, vendrá dado por la expresión:

$$w_c = h_1 - h_2 \tag{23}$$

El trabajo de compresión tiene signo negativo. En la figura 2.2, se ha incluido un esquema muy sencillo, con el convenio de signos comúnmente utilizado en termodinámica.

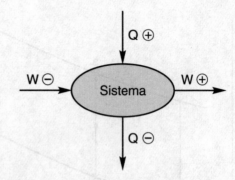

Figura 2.2. Esquema de signos
termodinámicos del calor
y el trabajo.

Sin embargo, es más útil que el trabajo de compresión tenga valores positivos. Para ello emplearemos el símbolo $w'_c = -w_c$. Así pues:

$$w'_c = h_2 - h_1 \tag{24}$$

El trabajo específico de expansión, w_t:

$$w_t = h_3 - h_4 \tag{25}$$

El trabajo neto específico, w_n:

$$w_n = w_t - w'_c \tag{26}$$

El calor aportado por unidad de masa a la cámara de combustión, q_{ap}:

$$q_{ap} = h_3 - h_2 \tag{27}$$

y el rendimiento del ciclo, η:

$$\eta = \frac{w_n}{q_{ap}} = \frac{h_3 - h_4 - (h_2 - h_1)}{h_3 - h_2} \tag{28}$$

o bien:

$$\eta = 1 + \frac{h_1 - h_4}{h_3 - h_2} \tag{29}$$

Si se considera un gas semiperfecto, ésta es la expresión definitiva del rendimiento. Si se trata de un gas perfecto, el cociente de las diferencias de entalpías puede expresarse como un cociente de diferencias de temperaturas, dado que el calor específico a presión constante se simplificará:

$$\eta = 1 + \frac{T_1 - T_4}{T_3 - T_2} \tag{30}$$

Si la compresión y la expansión son procesos isentrópicos, se pueden aplicar las relaciones:

$$\frac{T_2}{T_1} = \left(\frac{p_2}{p_1}\right)^{(k-1)/k} \tag{31}$$

$$\frac{T_3}{T_4} = \left(\frac{p_2}{p_1}\right)^{(k-1)/k} \tag{32}$$

Llamaremos r a la relación de compresión p_2/p_1 y r' a la expresión:

$$r' = r^{(k-1)/k} \tag{33}$$

con lo cual:

$$T_2 = r' \, T_1 \tag{34}$$

$$T_3 = r' \, T_4 \tag{35}$$

Sustituyendo (34) y (35) en (30), se obtiene:

$$\eta = 1 - \frac{1}{r'} \tag{36}$$

En la figura 2.3, se ha representado el rendimiento frente a la relación de presiones para valores de k comprendidos entre 1,3 y 1,4. Así, por ejemplo, para una misma relación de compresión, el aire o el nitrógeno

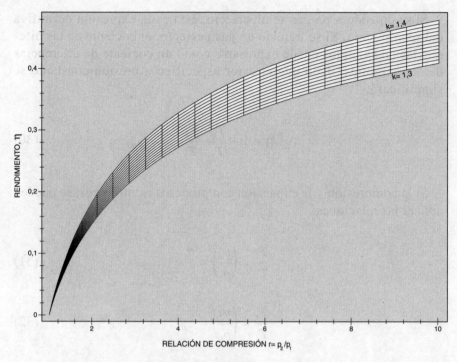

Figura 2.3. Representación del rendimiento del ciclo simple frente a la relación r' para distintos valores del exponente de las adibáticas.

da un rendimiento mayor que el dióxido de carbono, que tiene un valor menor del coeficiente k.

Ejemplo n.º 4

Efectuar el análisis de un ciclo Brayton simple para las siguientes condiciones: aspiración a 1 bar y 25 ºC, temperatura a la salida de la cámara de combustión 980 ºC, relación de compresión 6,5. Calcúlese en los dos supuestos: gas perfecto y gas semiperfecto.

a) Gas perfecto:

La relación r':

$$r' = r^{(k-1)/k} = 6,5^{0,2857} = 1,7071$$

46

La temperatura T_2:

$$T_2 = T_1 \, r' = (273,15 + 25) \, 1,7071 = 508,97 \; K$$

La temperatura T_4:

$$T_4 = T_3/r' = (273,15 + 980)/1,7071 = 734,08 \; K$$

El trabajo específico de compresión:

$$w'_c = 1,004 \, (508,97 - 298,15) = 211,66 \; kJ/kg$$

El trabajo específico de expansión:

$$w_t = 1,004 \, (1.253,15 - 734,08) = 521,15 \; kJ/kg$$

El trabajo neto específico:

$$w_n = 521,15 - 211,66 = 309,49 \; kJ/kg$$

El calor aportado por unidad de masa:

$$q_{ap} = 1,004 \, (1.253,15 - 508,97) = 747,16 \; kJ/kg$$

y el rendimiento:

$$\eta = \frac{309,49}{747,16} = 0,414$$

b) Gas semiperfecto:

Para obtener la temperatura T_2, utilizaremos el programa PROPIEDA:

$$T_2 = 506,91 \; K$$

La temperatura T_4:

$$T_4 = 780,36 \; K$$

El trabajo específico de compresión:

$$w'_c = 236,42 - 24,69 = 211,73 \text{ kJ/kg}$$

El trabajo específico de expansión:

$$w_t = 1.065,75 - 527,99 = 537,76 \text{ kJ/kg}$$

El trabajo neto específico:

$$w_n = 537,76 - 211,73 = 326,03 \text{ kJ/kg}$$

El calor aportado por unidad de masa:

$$q_{ap} = 1.065,75 - 236,42 = 829,33 \text{ kJ/kg}$$

y el rendimiento:

$$\eta = \frac{326,03}{829,33} = 0,393$$

El programa BRAYTON permite efectuar el cálculo que hemos realizado de forma mucho más rápida y contempla también las dos posibilidades de análisis. Sin embargo, en todos los ejemplos expuestos en este capítulo se presenta la solución del problema paso a paso.

3.3. Análisis del ciclo simple real

3.3.1. Sin tener en cuenta caídas de presión por rozamiento

En el análisis del ciclo real sólo se tendrá en cuenta el carácter no isentrópico de la compresión y de la expansión, así como el rendimiento de la combustión. En primer lugar, definiremos el rendimiento isentrópico del compresor, η_c, y el de la turbina, η_t.

a) Rendimiento isentrópico del compresor:

48

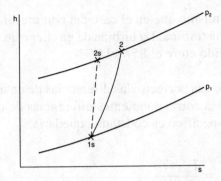

Figura 2.4. Proceso real
e isentrópico de compresión.

Es el cociente entre el trabajo isentrópico y el trabajo real. Ambos trabajos corresponden a sendas diferencias de entalpía (Fig. 2.4):

$$\eta_c = \frac{h_{2s} - h_1}{h_2 - h_1} \qquad (37)$$

Con el subíndice 2s se indica el final de la compresión isentrópica; el 1 señala el inicio de la compresión, y el 2, el final de la compresión real. El compresor utilizado comúnmente en el motor de turbina de gas tiene un rendimiento isentrópico comprendido entre el 80 y el 92 %.

b) Rendimiento isentrópico de la turbina:

Análogamente (Fig. 2.5):

$$\eta_t = \frac{h_1 - h_2}{h_1 - h_{2s}} \qquad (38)$$

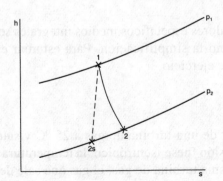

Figura 2.5. Proceso real
e isentrópico de expansión.

49

Los subíndices significan lo mismo que en el caso del compresor, pero se refieren a la expansión en la turbina. La turbina de gas tiene un rendimiento isentrópico comprendido entre el 85 y el 95 %.

Si se hace la consideración de gas perfecto, las diferencias de entalpía pueden ponerse en función de las correspondientes diferencias de temperatura, y, dado que el calor específico es constante, quedaría:

$$\eta_c = \frac{T_{2s} - T_1}{T_2 - T_1} \tag{39}$$

$$\eta_t = \frac{T_1 - T_2}{T_1 - T_{2s}} \tag{40}$$

¿Podría hacerse lo mismo en el caso del gas semiperfecto? Para responder a esta pregunta utilizaremos el concepto *calor específico medio integral*, c_{pm}, definido a partir de la expresión:

$$c_{pm12} = \frac{1}{T_2 - T_1} \int_{T_1}^{T_2} c_p \, dT \tag{41}$$

Es evidente que el rendimiento isentrópico del compresor, dado por la ecuación (38), puede expresarse de la forma:

$$\eta_c = \frac{c_{pm12s} \, (T_{2s} - T_1)}{c_{pm12} \, (T_2 - T_1)} \tag{42}$$

En la medida en que ambos calores específicos medios integrales sean parecidos, se podrá efectuar o no la simplificación. Para estudiar esta cuestión, planteamos el siguiente ejercicio.

Ejemplo n.º 5

El aire entra en el compresor de una turbina de gas a 25 ºC y sale a 233 ºC. Si el proceso de compresión fuese isentrópico, la temperatura de salida sería de 202 ºC. En la misma turbina de gas, el gas que sale de la cámara de combustión entra en la turbina a 1.000 °C y sale a 500 °C. Si el proceso de expansión fuese isentrópico, la temperatura de salida sería de 412 °C. Determinar los cuatro calores específicos medios integrales implicados en ambos procesos.

El programa PROPIEDA permite calcular los calores específicos medios integrales. Exponemos los resultados a continuación:

Entre 25 y 233 °C: c_{pm} = 1,014 kJ/kg K
Entre 25 y 202 °C: c_{pm} = 1,011 kJ/kg K
Entre 1.000 y 500 °C: c_{pm} = 1,138 kJ/kg K
Entre 1.000 y 412 °C: c_{pm} = 1,130 kJ/kg K

En una turbina de gas real, las temperaturas de compresión y de expansión, tanto en el proceso real como en el isentrópico, serán parecidas a las indicadas en este ejemplo. Es evidente que la pequeña discrepancia entre los calores específicos en la compresión y en la expansión justifica que pueda realizarse la simplificación propuesta. Así, por ejemplo, consideremos para la turbina un rendimiento isentrópico del 85 % y admitamos como válidas las temperaturas de entrada y de salida isentrópica de 1.000 y 412 °C, respectivamente.

Si hacemos la consideración de gas perfecto, la temperatura real a la salida será:

$$T_2 = T_1 - \eta_t \, (T_1 - T_{2s})$$
$$= 1273,15 - 0,85 \, (1.273,15 - 685,15)$$
$$= 773,35 \text{ K } (500,2 \text{ °C})$$

Si hacemos la consideración de gas semiperfecto:

$$T_2 = T_1 - \frac{1,138}{1,130} \, \eta_t \, (T_1 - T_{2s})$$

$$= 1.273,15 - 0,856 \, (1.273,15 - 685,15)$$
$$= 769,82 \text{ K } (496,67 \text{ °C})$$

El error al confundirlas no sobrepasa el 0,7 %.

En la figura 2.6, se ha representado el proceso de la turbina de gas cuando ni la compresión ni la expansión son isentrópicas. A continua-

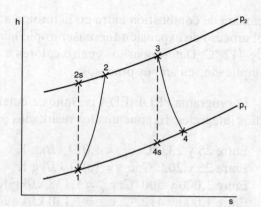

Figura 2.6. Representación
del ciclo simple real.

ción, se realiza el análisis del ciclo suponiendo un comportamiento de gas perfecto.

El trabajo neto específico de la turbina viene dado por:

$$w_n = c_p (T_3 - T_4) - c_p (T_2 - T_1) \qquad (43)$$

y teniendo en cuenta (39) y (40):

$$w_n = \eta_t c_p (T_3 - T_{4s}) - \frac{1}{\eta_c} c_p (T_{2s} - T_1) \qquad (44)$$

Es importante puntualizar que η_t y η_c son los rendimientos isentrópicos referidos al trabajo real de accionamiento; es decir, tienen incluidas las pérdidas mecánicas. Si se dispusiera de los rendimientos isentrópicos internos, η_{ti} y η_{ci}, debería tenerse en consideración la relación con el rendimiento mecánico y el isentrópico de accionamiento:

$$\eta_{ti} \, \eta_m = \eta_t$$
$$\eta_{ci} \, \eta_m = \eta_c$$

donde η_m es el rendimiento mecánico que tiene en cuenta las pérdidas en las transmisiones.

52

El calor aportado por unidad de masa es:

$$q_{ap} = \frac{1}{\eta_{cc}} \, c_p \, (T_3 - T_2) \tag{45}$$

siendo η_{cc} el rendimiento de la combustión que considera las pérdidas debidas a inquemados y al calor perdido por radiación principalmente. Este rendimiento puede adoptar valores próximos al 98 %.

La ecuación (45) se transforma mediante (39) en:

$$q_{ap} = \frac{1}{\eta_{cc}} \, c_p \left[T_3 - \left(T_1 + \frac{T_{2s} - T_1}{\eta_c} \right) \right] \tag{46}$$

y el rendimiento del ciclo, teniendo en cuenta (34) y (35), en:

$$\eta = \frac{r' - 1}{r'} \, \frac{\eta_{cc} \, (\eta_c \, \eta_t \, \theta - r')}{\eta_c \, (\theta - 1) - (r' - 1)} \tag{47}$$

donde θ es la relación T_3/T_1.

El trabajo neto específico venía dado por la expresión:

$$w_n = \eta_t \, c_p \, (T_3 - T_{4s}) - \frac{1}{\eta_c} \, c_p \, (T_{2s} - T_1)$$

que puede tranformarse en:

$$w_n = c_p \, T_1 \left[\theta \, \eta_t \left(1 - \frac{1}{r} \right) - \frac{1}{\eta_c} \, (r' - 1) \right] \tag{48}$$

El calor aportado por unidad de masa es:

$$q_{ap} = \frac{1}{\eta_{cc}} \, c_p \, T_1 \left[\theta - 1 - \frac{1}{\eta_c} \, (r' - 1) \right] \tag{49}$$

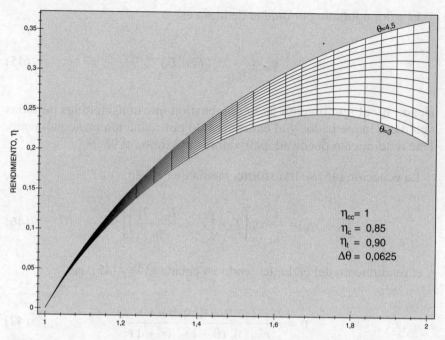

Figura 2.7. Representación del rendimiento frente a la relación r' para distintos valores de la relación de temperaturas T_3/T_1.

En la figura 2.7, se ha efectuado una representación gráfica del rendimiento frente a r' según la ecuación (47). Se han tomado los siguientes valores fijos:

$$\eta_{cc} = 1$$
$$\eta_c = 0,85$$
$$\eta_t = 0,90$$

Se han representado diferentes curvas para valores de θ comprendidos entre 3 y 4,5.

Para unas condiciones fijas de θ, η_c y η_t puede obtenerse la relación r' que daría un rendimiento máximo si se deriva (47) respecto a r'. Llamando:

$$A = \eta_c \, \eta_t \, \theta$$

y

$$B = \eta_c (\theta - 1) + 1$$

se obtiene:

$$r'^2 (A - B + 1) - 2 A r' + A B = 0 \qquad (50)$$

o sea, una ecuación de segundo grado que nos permite obtener r'. En la gráfica de la figura 2.7, puede observarse la existencia de estos máximos, pero muy atenuados. Esto implica que en la práctica no se tomen estas relaciones de compresión óptimas como puntos de funcionamiento en régimen, sino valores algo menores, porque la disminución tiene una importancia relativa en el rendimiento y, sin embargo, favorece el funcionamiento del motor de turbina de gas en los aspectos mecánicos.

Ejemplo n.º 6

Partiendo de las siguientes condiciones de funcionamiento de una turbina de gas:

$$\eta_c = 0,85$$
$$\eta_t = 0,90$$
$$\eta_{cc} = 1$$
$$\theta = 3$$
$$r' = 1,4303 \ (r = 3,5)$$

determinar el rendimiento, el rendimiento máximo, así como la relación de compresión para este rendimiento máximo. Calcúlese también la disminución del rendimiento del ciclo correspondiente a la disminución de 1 punto tanto en el rendimiento del compresor como en el de la turbina.

a) Condiciones de funcionamiento iniciales:

$$\eta = \frac{r' - 1}{r'} \frac{\eta_{cc} (\eta_c \eta_t \theta - r')}{\eta_c (\theta - 1) - (r' - 1)} =$$

$$= \frac{1,4303 - 1}{1,4303} \frac{1 \ (0,85 \times 0,90 \times 3 - 1,4303)}{0,85 \ (3 - 1) - (1,4303 - 1)} =$$

$$= 0,2049$$

b) Con disminución de un punto:

$$\eta = \frac{1,4303 - 1}{1,4303} \frac{1 \, (\, 0,84 \times 0,89 \times 3 - 1,4303)}{0,84 \, (3 - 1) - (1,4303 - 1)}$$

$$= 0,1956$$

Esta disminución representa un 4,5 %, que no es nada desdeñable.

c) Condiciones óptimas:

$$A = \eta_c \, \eta_t \, \theta$$
$$= 0,85 \times 0,90 \times 3$$
$$= 2,295$$
$$B = \eta_c \, (\theta - 1) + 1$$
$$= 0,85(3 - 1) + 1$$
$$= 2,7$$

La ecuación de segundo grado (59) será:

$$r'^2 \, (2,295 - 2,7 + 1) - 2 \times 2,295 \, r' + 2,295 \times 2,7 = 0$$

y operando:

$$0,595 \, r^2 - 4,59 \, r' + 6,1965 = 0$$

que resuelta da $r' = 1,7445$, que corresponde a una relación de compresión $r = 7,01$.

El rendimiento máximo será:

$$\eta = \frac{1,7445 - 1}{1,7445} \frac{1 \, (0,85 \times 0,90 \times 3 - 1,7445)}{0,84 \, (3 - 1) - (1,7445 - 1)} =$$

$$= 0,2459$$

Trabajar en las condiciones óptimas representa un aumento de 4,1 puntos en el rendimiento; sin embargo, se prefiere trabajar con una relación de compresión no tan elevada, aunque represente una disminución del rendimiento.

3.3.2. Teniendo en cuenta una caída de presión por rozamiento en la cámara de combustión

En la figura 2.8, se ha representado el proceso en una turbina de gas admitiendo una caída de presión en la cámara de combustión. Suponemos que la compresión se lleva a cabo de forma análoga a las anteriores, sin embargo el proceso correspondiente a la cámara de combustión termina a una presión, p'_2, menor que la presión al final de la compresión, p_2.

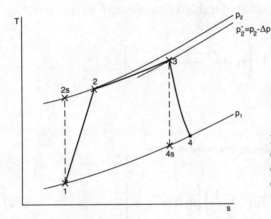

Figura 2.8. Representación del ciclo simple real con caída de presión en la cámara de combustión.

El trabajo específico de compresión vendrá dado por (44):

$$w_n = \eta_t \, c_p \, (T_3 - T_{4s}) - \frac{1}{\eta_c} \, c_p \, (T_{2s} - T_1)$$

o bien:

$$w_n = \eta_t \, c_p \, T_3 \left(1 - \frac{T_{4s}}{T_3}\right) - \frac{1}{\eta_c} \, c_p \, T_1 \left(\frac{T_{2s}}{T_1} - 1\right)$$

La relación de temperaturas T_{4s}/T_1 no está vinculada a la relación de presiones p_1/p_2, sino a:

$$\frac{T_{4s}}{T_3} = \left(\frac{p_1}{p'_2}\right)^{(k-1)/k} = \frac{1}{r''}$$

donde:

$$r'' = \left(\frac{p'_2}{p_1}\right)^{(k-1)/k} \tag{51}$$

La relación de temperaturas T_{2s}/T_1 será igual a la misma relación r' definida anteriormente, con lo cual el trabajo neto específico quedará:

$$w_n = c_p\, T_1 \left[\eta_t\, \theta\, \frac{r''-1}{r''} - \frac{r'-1}{\eta_c}\right]$$

donde θ es la relación T_3/T_1.

Podemos efectuar la siguiente transformación:

$$w_n = c_p\, T_1 \left(\frac{r'-1}{r'}\right)\left[\eta_t\, \theta\, \phi - \frac{1}{\eta_c}\right] \tag{52}$$

donde ϕ viene dado por la expresión:

$$\phi = \frac{\dfrac{r''-1}{r''}}{\dfrac{r'-1}{r'}} \tag{53}$$

El calor aportado por unidad de masa tendrá la misma expresión que la ecuación (46), que ahora transformaremos ligeramente al introducir la relación de compresión r' y la relación de temperaturas θ. Se obtiene:

$$q_{ap} = \frac{1}{\eta_{cc}}\, c_p\, T_1 \left(\theta - 1 - \frac{r'-1}{\eta_c}\right) \tag{54}$$

58

El rendimiento del ciclo es:

$$\eta = \frac{r'-1}{r'} \; \frac{\eta_{cc} \, (\eta_c \, \eta_t \, \phi \, \theta - r')}{\eta_c \, (\theta - 1) - (r' - 1)} \tag{55}$$

El factor ϕ es la única diferencia entre las ecuaciones (47) y (55). Es interesante efectuar un desarrollo del factor ϕ para que pueda calcularse con más comodidad.

$$\phi = \frac{\left(\dfrac{p'_2}{p_1}\right)^{(k-1)/k} - 1}{\left(\dfrac{p'_2}{p_1}\right)^{(k-1)/k}} : \frac{\left(\dfrac{p_2}{p_1}\right)^{(k-1)/k} - 1}{\left(\dfrac{p_2}{p_1}\right)^{(k-1)/k}}$$

Llamando q al exponente $(k-1)/k$, y $1 - c$ a la relación p'_2/p_2, es fácil obtener:

$$\phi = \frac{r'(1-c)^q - 1}{(r'-1)(1-c)^q} \tag{56}$$

La relación p'_2/p_2 es precisamente la disminución relativa de presión debida al rozamiento. Si este cociente lo expresamos como $1 - c$, c representa la caída de presión en tanto por uno. Así, por ejemplo, una caída del 1 % da un cociente:

$$p'_2/p_2 = 1 - c = 0{,}99$$

Obsérvese que el factor ϕ, siempre menor que la unidad, multiplica al rendimiento de la turbina, lo que da un rendimiento ficticio menor. Esto implica necesariamente una disminución del rendimiento del ciclo.

Para poner de manifiesto la importancia de esta pérdida en el rendimiento del ciclo, se ha representado gráficamente, en la figura 2.9, el rendimiento dado por (54) frente a la relación r' para valores estándar de

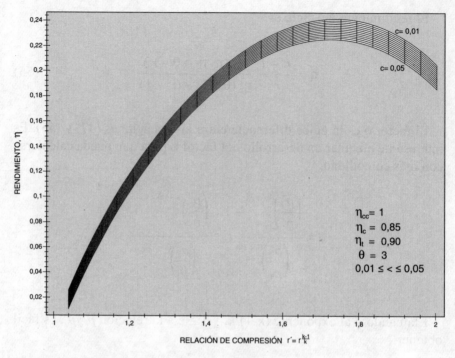

Figura 2.9. Representación del rendimiento frente a la relación r' para distintas caídas de presión en la cámara de combustión.

los rendimientos y relación θ de temperaturas. En la figura, puede apreciarse perfectamente la disminución del rendimiento con la caída de presión. En el ejemplo que sigue se efectúa un cálculo más preciso.

Ejemplo n.° 7

Para las siguientes condiciones de funcionamiento:

$$\eta_c = 0{,}85$$
$$\eta_t = 0{,}90$$
$$\eta_{cc} = 1$$
$$\theta = 3$$
$$r = 6{,}5$$

determinar el efecto sobre el rendimiento de una caída de presión del 1 %.

60

Calcularemos en primer lugar el valor del rendimiento sobre los valores estándar. La relación r' valdrá:

$$r' = r^{(k-1)/k}$$
$$= 6,5^{(1,4-1)/1,4}$$
$$= 1,7071$$

y el rendimiento:

$$\eta = \frac{r'-1}{r'} \frac{\eta_{cc}(\eta_c\,\eta_t\,\theta - r')}{\eta_c(\theta-1)-(r'-1)} =$$

$$= \frac{1,7071-1}{1,7071}\frac{1\,(0,85 \times 0,90 \times 3 - 1,7071)}{0,85\,(3-1)-(1,7071-1)} = 0,2452$$

Calculemos ahora el factor ϕ:

$$\phi = \frac{r'(1-c)^q - 1}{(r'-1)(1-c)^q} =$$

$$= \frac{1,7071\,(1-0,01)^{0,2857} - 1}{(1,7071-1)(1-0,01)^{0,2857}} = 0,9960$$

Entonces, podemos aplicar la ecuación (55):

$$\eta = \frac{r'-1}{r'}\frac{\eta_{cc}(\eta_c\,\eta_t\,\phi\,\theta - r')}{\eta_c(\theta-1)-(r'-1)} =$$

$$= \frac{1,7071-1}{1,7071}\frac{1\,(0,85 \times 0,90 \times 0,9960 \times 3 - 1,7071)}{0,85\,(3-1)-(1,7071-1)} = 0,2414$$

La disminución del rendimiento representa en valor relativo un 1,5 %.

3.3.3. Teniendo en cuenta la diferencia de caudales antes y después de la cámara de combustión

De forma estricta, el caudal de gas comprimido y el de los gases de escape no son iguales. Efectuando un balance de masas en la cámara de combustión se obtiene:

$$\dot{m}_g = \dot{m}_c + \dot{m}_a \tag{57}$$

donde $\dot{m}_g$ es el caudal de los gases de escape
$\dot{m}_c$ es el caudal de combustible
$\dot{m}_a$ es el caudal de aire de la combustión.

La relación real aire combustible, $\lambda_r = \dot{m}_a/\dot{m}_c$, puede expresarse:

$$\lambda_r = \lambda_o \, e \tag{58}$$

donde λ_o es la relación aire combustible mínima necesaria [4]
e es el exceso de aire.

Introduciendo λ_r en la ecuación (57), se obtiene:

$$\dot{m}_g = \dot{m}_a/\lambda_r + \dot{m}_a = \dot{m}_a(1/\lambda_r + 1)$$

o bien:

$$\dot{m}_g = \dot{m}_a \left(\frac{1}{\lambda_o \, e} + 1 \right) \tag{59}$$

Si llamamos R_{ca} a la relación combustible aire, la anterior ecuación adquiere la forma:

$$\dot{m}_g = \dot{m}_a(R_{ca} + 1) \tag{60}$$

Si el combustible es una gas natural, λ_o puede adoptar valores próximos a 17 kg aire/kg combustible; si se trata de un combustible líquido, λ_o puede tener valores próximos a 15 kg aire/ kg combustible (véase la tabla 2.2).

Tabla 2.2. Coeficientes de relación aire combustible para distintos combustibles.

Combustible	λ_o kg aire/kg comb
Fuelóleo	13,18
Gasóleo C	13,74
Gas natural	16,64
GLP (propano)	16,0

El coeficiente de exceso de aire siempre es mayor que la unidad para evitar que la temperatura de los gases sea demasiado alta. En general, toma valores cercanos a 3. Para el gas natural viene a corresponder un contenido de oxígeno en humos del 15 %. En algunos tipos de turbina de gas puede llegar a 30 o más. Aceptando como valores típicos los correspondientes al gas natural, con un exceso de 3, la ecuación (59) nos permite establecer la relación entre los caudales de aire y gases:

$$\frac{\dot{m}_g}{\dot{m}_a} = \frac{1}{\lambda_o \, e} + 1 = \frac{1}{17 \times 3} + 1 = 1,0196$$

Ambos caudales difieren tan poco que, salvo en los cálculos de proyecto final, puede considerarse que por el motor de turbina de gas circula la misma cantidad de gas. En el programa BRAYTON se ha tenido en cuenta la posibilidad de trabajar con caudales diferentes.

En [5] se incluyen unas gráficas para calcular de forma exacta las propiedades termodinámicas de los productos de la combustión en función del tipo de combustible y del exceso de aire.

En el caso de un ciclo simple, cuando se trabaja con caudales diferentes ($R_{ca} \neq 0$), el trabajo específico de la turbina se expresa a partir de la relación:

$$w_t = (1 + R_{ca}) \, (h_3 - h_4) \tag{61}$$

y el calor aportado por unidad de masa a la cámara de combustión:

$$q_{ap} = \frac{1}{\eta_{cc}} \left[(1 + R_{ca}) \, h_3 - h_2 \right] \qquad (62)$$

Si hay más de una etapa de expansión, con recalentamientos intermedios, en cada uno de ellos deberá tenerse en cuenta el nuevo aporte de material a partir de las oportunas relaciones combustible aire, que pueden ser iguales o distintas en cada cámara de combustión. En el programa BRAYTON se ha supuesto que si hay recalentamientos intermedios la relación combustible aire es la misma en todos ellos.

4. El ciclo regenerativo

4.1. Análisis del ciclo regenerativo

4.1.1. Introducción

El ciclo regenerativo consiste en incorporar al ciclo simple un recuperador entálpico de los humos de escape de la turbina; se aplica al gas comprimido antes de la cámara de combustión. En la figura 2.10, se ha representado un esquema de la instalación. La idea básica del ciclo regenerativo es aprovechar la entalpía de los humos de escape, que de otra forma se van a la atmósfera, para precalentar el gas comprimido y, de esta manera, disminuir el consumo de combustible. La representación del

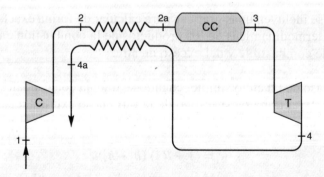

Figura 2.10. Esquema de un ciclo regenerativo.

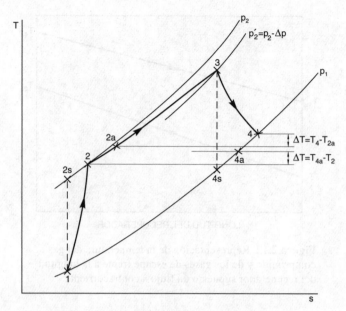

Figura 2.11. Representación gráfica de un ciclo regenerativo
con caída de presión en la cámara de combustión.

ciclo regenerativo se ha hecho en un diagrama T-s, en la figura 2.11, para poner mejor de manifiesto los distintos niveles de temperatura. Obsérvese que la temperatura T_{4a} es mayor que la temperatura T_2 y que, de forma aproximada, $T_4 - T_{2a} = T_{4a} - T_2$.

4.1.2. Estudio del recuperador

En el recuperador podemos efectuar un balance entálpico (equivalente a un balance energético en el que no se tenga en cuenta ni el intercambio de calor con el medio ni las variaciones de energía cinética o potencial):

$$\dot{m}_a \, (h_{2a} - h_2) = \dot{m}_g \, (h_4 - h_{4a})$$

Si admitimos que ambos caudales son iguales, y para un comportamiento de gas perfecto, se cumplirá:

$$T_{2a} - T_2 = T_4 - T_{4a}$$

65

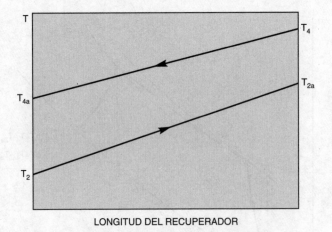

Figura 2.12. Representación de la temperatura del gas comprimido y de los gases de escape frente a la longitud del recuperador supuesto un flujo a contracorriente.

Suponiendo un flujo a contracorriente, en la figura 2.12 se ha representado de forma cualitativa la variación de temperaturas en el recuperador.

La eficacia del recuperador, ε, se define:

$$\varepsilon = \frac{\dot{m}_a c_{p2a\text{-}2}\,(T_{2a} - T_2)}{(\dot{m}c_p)_{\min}\,(T_4 - T_2)} \tag{63}$$

siendo $c_{p2a\text{-}2}$ el calor específico del gas comprimido a presión constante medio entre el estado 2a y el estado 2

$(\dot{m}c_p)_{\min}$ es la capacidad calorífica mínima entre $\dot{m}_a c_{p2a\text{-}2}$ y $\dot{m}_g c_{p4\text{-}4a}$

$c_{p4\text{-}4a}$ es el calor específico de los gases de escape a presión constante medio entre 4 y 4a.

Dadas las temperaturas que tendremos en el recuperador, $c_{p2a\text{-}2} < c_{p4\text{-}4a}$, y por lo tanto:

$$(\dot{m}c_p)_{\min} = \dot{m}_a c_{p2a\text{-}2}$$

la eficacia del recuperador puede expresarse como:

66

$$\varepsilon = \frac{T_{2a} - T_2}{T_4 - T_2} \tag{64}$$

La eficacia del recuperador, que suele tomar valores entre el 75 y el 85 %, entre otros factores, depende del área de intercambio. Para poner de manifiesto esta relación, efectuaremos un sencillo cálculo. La tasa de transferencia de calor, $\dot{Q}$, en el recuperador puede expresarse como:

$$\dot{Q} = \dot{m}\, c_p\, (T_{2a} - T_2)$$

o bien:

$$\dot{Q} = U\, A\, \Delta T_m$$

donde U es el coeficiente global de transferencia de calor del recuperador

       A es el área de transferencia

       ΔT_m es una diferencia media de temperaturas entre la del gas comprimido y la de los gases de escape, que depende del tipo de intercambiador.

Si admitimos un flujo a contracorriente, resulta:

$$\Delta T_m = T_4 - T_{2a}$$

con lo cual:

$$\dot{m}\, c_p\, (T_{2a} - T_2) = U\, A\, (T_4 - T_{2a})$$

Despejando el área de transferencia, se obtiene:

$$A = \frac{\dot{m}\, c_p}{U} \frac{T_{2a} - T_2}{T_4 - T_2 - (T_{2a} - T_2)}$$

o bien:

$$A = \frac{\dot{m}\, c_p}{U} \frac{\varepsilon}{1 - \varepsilon} \tag{65}$$

67

Aplicando esta relación a dos eficacias diferentes y dividiendo las expresiones correspondientes, miembro a miembro, tenemos:

$$\frac{A_1}{A_2} = \frac{\varepsilon_1}{\varepsilon_2} \frac{1 - \varepsilon_2}{1 - \varepsilon_1}$$

Así, por ejemplo, pasar de un 75 a un 76 % de eficacia, representaría:

$$\frac{A_1}{A_2} = \frac{0,75}{0,76} \frac{1 - 0,76}{1 - 0,75} = 0,9474$$

de donde $A_2/A_1 = 1,055$.

Es decir, para aumentar un punto la eficacia, el área debe aumentar más del 5 %.

A fin de calcular el aumento de área necesario para obtener el incremento de un punto en la eficacia, tomaremos logaritmos en (64) y diferenciaremos:

$$\frac{dA}{A} = \frac{1}{1 - \varepsilon} \frac{d\varepsilon}{\varepsilon} \tag{66}$$

La expresión anterior nos permite confeccionar la tabla 2.3 que contiene, para distintas eficacias, los aumentos porcentuales de área para incrementos de un punto de eficacia.

Observando la tabla 2.3 se deduce que a partir de eficacias que estén en torno al 85 % ya no es interesante aumentar el área.

4.1.3. Análisis termodinámico del ciclo regenerativo

El trabajo neto específico de compresión viene dado por la expresión:

$$w_n = c_p T_1 \left[\eta_t \, \theta \, \frac{r'' - 1}{r''} - \frac{r' - 1}{\eta_c} \right]$$

Tabla 2.3. Aumentos de área para incrementos de un punto de eficacia.

ε %	$(\Delta A/A)\ 100$ %
50	2
75	4
80	5
85	6,7
90	10
95	20

o bien:

$$w_n = c_p\, T_1 \left(\frac{r'-1}{r'} \right) \left[\eta_t\, \theta\, \phi - \frac{r'}{\eta_c} \right]$$

idéntica a la expuesta en el ciclo no regenerativo.

El calor aportado por unidad de masa será en este caso:

$$q_{ap} = \frac{1}{\eta_{cc}} (h_3 - h_{2a})$$

y si admitimos un comportamiento de gas perfecto:

$$q_{ap} = \frac{1}{\eta_{cc}} c_p\, (T_3 - T_{2a})$$

La temperatura T_{2a} la podemos despejar de (64):

$$T_{2a} = T_2 + \varepsilon\, (T_4 - T_2) \tag{67}$$

con lo cual:

$$q_{ap} = \frac{1}{\eta_{cc}} c_p \left[T_3 - T_2 - \varepsilon (T_4 - T_2) \right]$$

Las temperaturas T_2 y T_4 las sustituimos de (39) y (40), con (40) adaptada a los subíndices de la figura 2.10, e introducimos las relaciones de presión y la relación θ. Así, se obtiene:

$$q_{ap} = \frac{1}{\eta_{cc}} c_p T_1 \left[\theta + (\varepsilon - 1) \left(1 + \frac{1}{\eta_c} (r' - 1) \right) - \right. \tag{68}$$
$$\left. - \varepsilon \theta \left(1 - \eta_t \frac{r'' - 1}{r''} \right) \right]$$

y el rendimiento resulta:

$$\eta = \frac{r' - 1}{r'} \frac{\eta_{cc} (\eta_c \eta_t \theta \phi - r')}{\theta \eta_c - (1 - \varepsilon)(\eta_c + r' - 1) - \varepsilon \theta \eta_c [r' - \eta_t \phi (r' - 1)] (1/r')} \tag{69}$$

Esta ecuación se transforma en la (55), correspondiente al ciclo no regenerativo, si $\varepsilon = 0$.

La ecuación (68) nos permite obtener el calor aportado por unidad de masa, pero es más cómodo transformar aquella expresión en:

$$q_{ap} = \frac{1}{\eta_{cc}} c_p T_1 \left[\theta - (1 - \varepsilon) \left(1 + \frac{1}{\eta_c} (r' - 1) \right) - \right.$$
$$\left. - \varepsilon \theta \left(1 - \eta_t \phi \frac{r' - 1}{r'} \right) \right] \tag{70}$$

Ejemplo n.º 8

En un ciclo regenerativo abierto de turbina de gas el aire entra a 1 bar y 25 °C. Sobre las siguientes condiciones de funcionamiento:

70

$$\eta_c = 0,85$$
$$\eta_t = 0,90$$
$$\eta_{cc} = 1$$
$$\theta = 3$$
$$\varepsilon = 0,75$$
$$r = 4,5$$

y una caída de presión del 1%, determinar el rendimiento del ciclo, el trabajo neto y el calor aportado. Calcúlese también el rendimiento del mismo ciclo para una eficacia del recuperador del 85 %.

Obtendremos en primer lugar el valor del rendimiento sobre los valores estándar. La relación r' valdrá:

$$r' = r^{(k-1)/k} = 4,5^{(1,4-1)/1,4} = 1,5368$$

A continuación, se determina el factor ϕ:

$$\phi = \frac{r'(1-c)^q - 1}{(r'-1)(1-c)^q} = \frac{1,5368\,(1-0,01)^{0,2857}}{(1,5368-1)(1-0,01)^{\,0,2857}} = 0,9946$$

y se obtiene el rendimiento:

$$\eta = \frac{r'-1}{r'} \cdot \frac{\eta_{cc}\,(\eta_c\,\eta_t\,\theta\,\phi - r')}{\theta\,\eta_c - (1-\varepsilon)(\eta_c + r' - 1) - \varepsilon\,\theta\,\eta_c\,[r' - \eta_t\,\phi\,(r'-1)]\,(1/r')}$$

de donde $\eta = 0,2931$.

Para calcular el trabajo neto, se aplica la ecuación (52):

$$w_n = c_p\,T_1 \left(\frac{r'-1}{r'}\right)\left[\eta_t\,\theta\,\phi - \frac{r'}{\eta_c}\right] =$$

$$= 1,004 \times (25+273,15)\,\frac{1,5368 - 1}{1,5368}\left(0,90 \times 3 \times 0,9946 - \frac{1,5368}{0,85}\right) =$$

$$= 91,74 \text{ kJ/kg}$$

y, para obtener el calor aportado por unidad de masa, la ecuación (70):

$$q_{ap} = \frac{1}{\eta_{cc}} c_p T_1 \left[\theta - (1 - \varepsilon)\left(1 + \frac{1}{\eta_c}\right)(r' - 1) - \varepsilon\,\theta\left(1 - \eta_t\,\phi\,\frac{r' - 1}{r'}\right)\right] =$$

$$= \frac{1}{1}\,1{,}004 \times 298{,}15 \left[3 - (1 - 0{,}75)\left(1 + \frac{1}{0{,}85}\right)(1{,}5368 - 1) -\right.$$

$$\left. - 0{,}75 \times 3\left(1 - 0{,}90 \times 0{,}9946\,\frac{1{,}5368 - 1}{1{,}5368}\right)\right] =$$

$$= 313{,}00 \text{ kJ/kg}$$

Para una eficacia del 85 %:

$$q_{ap} = \frac{1}{1}\,1{,}004 \times 298{,}15 \left[3 - (1 - 0{,}85)\left(1 + \frac{1}{0{,}85}\,(1{,}5368 - 1)\right) -\right.$$

$$\left. - 0{,}85 \times 3(1 - 0{,}90 \times 0{,}9946\,\frac{1{,}5368 - 1}{1{,}5368}\right)\right] =$$

$$= 300{,}11 \text{ kJ/kg}$$

Dado que el trabajo será el mismo, el rendimiento del ciclo resultará:

$$\eta = \frac{91{,}74}{300{,}11} = 0{,}3057$$

que representa un aumento del 4,30 %. Obsérvese que incrementar 10 puntos la eficacia solamente supone un aumento de 1,3 puntos del rendimiento.

5. La compresión y la expansión en etapas

5.1. Introducción

No demostraremos aquí que la compresión y la expansión en etapas son beneficiosas desde un punto de vista termodinámico; más adelante plantearemos algún problema para ponerlo de manifiesto. Pero es muy importante considerar que una compresión en etapas, así como una expansión en etapas, encarece el equipo. En los planteamientos que seguirán, supondremos dos etapas de compresión y dos etapas de expansión, aunque en el programa BRAYTON admitimos un máximo de tres etapas tanto de compresión como de expansión; no obstante, es evidente que pueden fabricarse equipos con más etapas.

5.2. Análisis termodinámico del ciclo con compresión y expansión en etapas

En la figura 2.13, se ha representado un esquema de la instalación y, en la figura 2.14, su representación gráfica en un diagrama h-s. Se ha supuesto pérdida de presión en ambas cámaras de combustión, no necesariamente iguales. Las relaciones de compresión parciales se han consi-

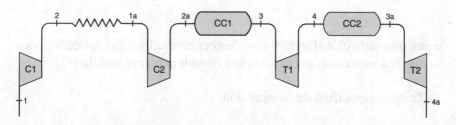

Figura 2.13. Esquema de un ciclo con dos etapas de compresión y dos etapas de expansión.

derado iguales entre sí y con un valor que se corresponde con la raíz cuadrada de la relación de compresión total (si hubiera tres etapas, la relación de compresión parcial sería la raíz cúbica de la relación de compresión total). En esta ocasión, no nos propondremos la obtención de una

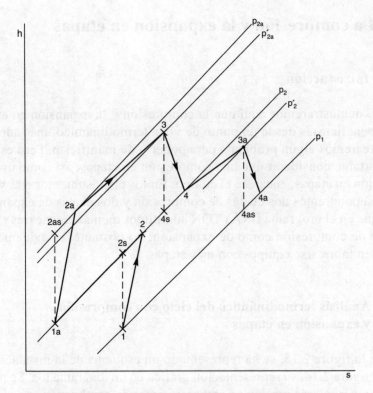

Figura 2.14. Representación de un ciclo con dos etapas de compresión y dos etapas de expansión, y caída de presión en la cámara de combustión.

expresión para calcular de forma directa el rendimiento del ciclo, puesto que una expresión excesivamente compleja pierde utilidad.

a) Trabajo específico de compresión:

Supondremos dos etapas de compresión, con relaciones parciales:

$$r_1 = r_2 = r = r_T^{1/2}$$

siendo r_T la relación de compresión total. Entre ambas etapas debe existir una refrigeración intermedia que enfríe el gas hasta una temperatura menor que la de salida de la primera etapa, aunque no necesariamente igual a la temperatura de entrada inicial.

El trabajo específico de compresión viene dado por la expresión:

$$w_c = h_2 - h_1 + h_{2a} - h_{1a} \tag{71}$$

y si el comportamiento del fluido es de gas perfecto:

$$w'_c = c_p\,(T_2 - T_1) + c_p\,(T_{2a} - T_{1a})$$

expresión que puede transformarse en:

$$w'_c = c_p \left[T_1 \frac{1}{\eta_{c1}}\,(r'_1 - 1) + T_{1a} \frac{1}{\eta_{c2}}\,(r'_2 - 1) \right] \tag{72}$$

siendo η_{c1} y η_{c2} los rendimientos isentrópicos de accionamiento de las etapas 1 y 2 respectivamente, y recordando que $r'1 = r'2$.

El trabajo específico de expansión vale:

$$w_t = h_3 - h_4 + h_{3a} - h_{4a} \tag{73}$$

y, análogamente, se obtiene:

$$w_t = c_p \left[T_3\,\eta_{t1} \left(1 - \frac{1}{r''_2} \right) + T_{3a}\,\eta_{t2} \left(1 - \frac{1}{r''_1} \right) \right] \tag{74}$$

siendo η_{t1} y η_{t2} los rendimientos isentrópicos de las etapas 1 y 2 de la turbina. En este caso, r''_1 y r''_2 pueden no ser iguales.

La presión p'_{2a} es igual a la presión p_{2a} disminuida con la pérdida en la primera cámara y p'_2 es igual a la presión p_2 disminuida con la pérdida en la segunda cámara. Es decir:

$$p'_{2a} = p_{2a}\,(1 - c_1) \tag{75}$$

$$p'_2 = p_2\,(1 - c_2) \tag{76}$$

siendo c_1 y c_2 las caídas de presión relativas, en tanto por uno, en las cámaras de combustión 1 y 2, respectivamente. Si c_1 y c_2 son diferentes, r_1'' y r_2'' serán también distintas.

El trabajo neto específico, será:

$$w_n = w_t - w'_c \tag{77}$$

y el calor aportado por unidad de masa:

$$q_{ap} = \frac{1}{\eta_{cc}} [h_3 - h_{2a} + h_{3a} - h_4] \tag{78}$$

Si se trata de un gas perfecto, se tienen en cuenta las definiciones de los rendimientos isentrópicos η_{c2} y η_{t1} y se introducen las relaciones de presión, queda:

$$q_{ap} = \frac{1}{\eta_{cc}} \left[c_p \, T_{1a} \left[\left(\frac{T_3}{T_{1a}} - 1 \right) - \frac{1}{\eta_{c2}} (r'_2 - 1) \right] + \right.$$

$$\left. + c_p \, T_3 \left[\frac{T_{3a}}{T_3} - 1 + \eta_{t1} \left(1 - \frac{1}{r''_2} \right) \right] \right] \tag{79}$$

El rendimiento del ciclo será el cociente entre el trabajo neto y el calor aportado.

Ejemplo n.º 9

En una turbina de gas, el aire entra a 1 bar y 25 °C. Sobre las siguientes condiciones de funcionamiento:

$$\eta_c = 0,85$$
$$\eta_t = 0,90$$
$$\eta_{cc} = 1$$
$$\theta = 3$$
$$r = 9$$

(no se considera caída de presión por rozamiento) determinar el rendimiento del ciclo, el trabajo neto y el calor aportado en los dos casos siguientes: ciclo simple y ciclo con dos etapas de compresión y dos etapas de expansión. En el segundo desarrollo se supondrá que las dos etapas de compresión tienen el mismo rendimiento individual que una etapa y que ocurre lo mismo con las dos etapas de expansión. En la compresión, la refrigeración intermedia lleva a las condiciones iniciales, y en la expansión, el recalentamiento intermedio conduce a la misma temperatura que la de la entrada en la primera etapa.

a) Ciclo simple:

La relación r′ valdrá:

$$r' = r^{(k-1)/k} = 9^{0,2857} = 1,8734$$

El trabajo neto específico resultará:

$$w_n = c_p\, T_1 \left[\theta\, \eta_t \left(1 - \frac{1}{r'} \right) - \frac{1}{\eta_c}\, (r' - 1) \right] =$$

$$= 1,004 \times 298,15\, [3 \times 0,90\, (1 - 1/1,8734) -$$

$$- (1/0,85)\, (1,8734 - 1)] =$$

$$= 69,22 \text{ kJ/kg}$$

El calor aportado por unidad de masa será:

$$q_{ap} = \frac{1}{\eta_{cc}}\, c_p\, T_1 \left[\theta - 1 - \frac{1}{\eta_c}\, (r' - 1) \right] =$$

$$= (1/1)\, 1,004 \times 298,15\, [3 - 1 - (1/0,85)\, (1,8734 - 1)] =$$

$$= 291,10 \text{ kJ/kg}$$

y el rendimiento:

$$\eta = \frac{r' - 1}{r'} \frac{\eta_{cc} (\eta_c \, \eta_t \, \theta - r')}{\eta_c (\theta - 1) - (r' - 1)} =$$

$$= \frac{1,8734 - 1}{1,8734} \frac{1 \, (0,85 \times 0,90 \times 3 - 1,8734)}{0,85 \times (3 - 1) - (1,8734 - 1)} =$$

$$= 0,2378$$

b) Ciclo con etapas de compresión y de expansión:

Las relaciones parciales, r_1 y r_2 se consideran iguales entre sí, y su valor es:

$$r_1 = r_2 = 9^{1/2} = 3$$

y las relaciones r'_1 y r'_2:

$$r'_1 = r'_2 = 3^{0,2857} = 1,3687$$

Calcularemos en primer lugar el trabajo específico de compresión:

$$w'_c = c_p \left[T_1 \frac{1}{\eta_{c1}} \, (r'_1 - 1) + T_{1a} \frac{1}{\eta_{c2}} \, (r'_2 - 1) \right] =$$

$$= 1,004 \, [298,15 \, (1/0,85) \, (1,3687 - 1) +$$

$$+ \, 298,15 \, (1/0,85) \, (1,3687 - 1) = 259,69 \text{ kJ/kg}$$

Dado que no se contemplan pérdidas por rozamiento, las relaciones $r''_1 \, r''_2$ son iguales a r'_1 y r'_2, respectivamente.

$$T_3 = T_{3a} = 298,15 \times 3 = 894,45 \, K$$

El trabajo específico de expansión será:

$$w_t = c_p \left[T_3 \, \eta_{t1} \left(1 - \frac{1}{r''_2} \right) + T_{3a} \, \eta_{t2} \left(1 - \frac{1}{r''_1} \right) \right] =$$

$$= 1{,}004 \left[894{,}45 \times 0{,}90 \left(1 - \frac{1}{1{,}3687} \right) + \right.$$

$$\left. + 298{,}15 \times 3 \times 0{,}90 \left(1 - \frac{1}{1{,}3687} \right) \right] =$$

$$= 435{,}44 \ \text{kJ/kg}$$

y el trabajo neto específico:

$$w_n = 435{,}44 - 259{,}69 =$$

$$= 175{,}75 \ \text{kJ/kg}$$

El calor aportado por unidad de masa resultará:

$$q_{ap} = \frac{1}{\eta_{cc}} \left[c_p \, T_{1a} \left[\left(\frac{T_3}{T_{1a}} - 1 \right) - \frac{1}{\eta_{c2}} \left(r'_2 - 1 \right) \right] + \right.$$

$$\left. + c_p \, T_3 \left[\frac{T_{3a}}{T_3} - 1 + \eta_{t1} \left(1 - \frac{1}{r''_2} \right) \right] \right] =$$

$$= \frac{1}{1} \left[1{,}004 \times 298{,}15 \left[3 - 1 - \frac{1}{0{,}85} \left(1{,}3687 - 1 \right) \right] + \right.$$

$$\left. + 1{,}004 \times 894{,}45 \left[1 - 1 + 0{,}90 \left(1 - \frac{1}{1{,}3687} \right) \right] \right] =$$

$$= 686{,}56 \ \text{kJ/kg}$$

y el rendimiento:

$$\eta = \frac{175{,}75}{686{,}56} = 0{,}2559$$

En la tabla 2.4, se resumen los resultados obtenidos.

Tabla 2.4. Resumen de los resultados obtenidos en los ejemplos 8 y 9.

	Sin etapas	Con etapas
w_n en kJ/kg	69,22	175,75
q_{ap} en kJ/kg	291,10	686,56
η en %	23,78	25,59

Puede observarse el aumento del rendimiento efectuando una compresión multietapa.

6. Ciclo regenerativo con la compresión y la expansión en etapas

6.1. Introducción

El ciclo regenerativo con etapas de compresión y de expansión representa el grado máximo de perfección desde un punto de vista termodinámico; aquí lo vamos a estudiar en los ciclos abiertos de turbina de gas. Tal como hemos indicado en el apartado precedente, el programa BRAYTON sólo contempla tres etapas de compresión y tres etapas de expansión como máximo. La recuperación se aplica al gas comprimido que sale de la segunda o tercera etapa de compresión.

6.2. Análisis termodinámico del ciclo regenerativo con compresión y expansión en etapas

En la figura 2.15, se ha representado un esquema de la instalación con dos etapas de compresión y dos etapas de expansión de un ciclo regenerativo y, en la figura 2.16, su representación gráfica en un diagrama h-s. Se ha supuesto pérdida de presión en ambas cámaras de combustión, no necesariamente iguales. Las relaciones de compresión parciales se han considerado iguales entre sí y con un valor que se corresponde con la

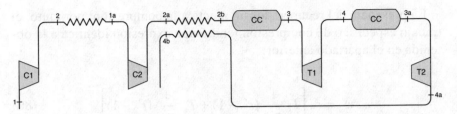

Figura 2.15. Esquema de un ciclo regenerativo con dos etapas de compresión y dos etapas de expansión.

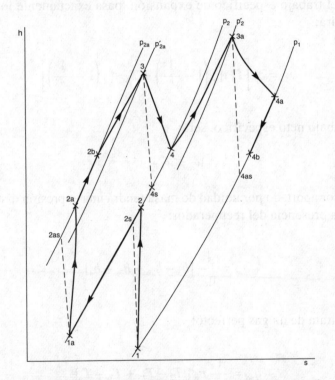

Figura 2.16. Representación de un ciclo regenerativo con dos etapas de compresión y dos etapas de expansión, y caída de presión en la cámara de combustión.

raíz cuadrada de la relación de compresión total. Como en el apartado anterior, no nos propondremos la obtención de una expresión para calcular de forma directa el rendimiento del ciclo. Recordemos que las expresiones de los apartados precedentes sólo son válidas para un comportamiento de gas perfecto.

81

La presencia del recuperador no afecta a la compresión; por tanto, el trabajo específico de compresión tendrá una expresión idéntica a la obtenida en el apartado anterior:

$$w'_c = c_p \left[T_1 \frac{1}{\eta_{c1}} (r'_1 - 1) + T_{1a} \frac{1}{\eta_{c2}} (r'_2 - 1) \right] \qquad (80)$$

Con el trabajo específico de expansión, pasa exactamente lo mismo; así, valdrá:

$$w_t = c_p \left[T_3 \, \eta_{t1} \left(1 - \frac{1}{r''_2} \right) + T_{3a} \, \eta_{t2} \left(1 - \frac{1}{r''_1} \right) \right] \qquad (81)$$

El trabajo neto específico, será:

$$w_n = w_t - w'_c \qquad (82)$$

El calor aportado por unidad de masa tendrá una expresión distinta debido a la presencia del recuperador:

$$q_{ap} = \frac{1}{\eta_{cc}} [h_3 - h_{2b} + h_{3a} - h_4] \qquad (83)$$

Si se trata de un gas perfecto:

$$q_{ap} = \frac{1}{\eta_{cc}} c_p [T_3 - T_{2b} + T_{3a} - T_4]$$

La temperatura T_{2a} la podemos despejar de la ecuación (64) aplicada al presente caso:

$$T_{2b} = T_{2a} + \varepsilon (T_{4a} - T_{2a}) \qquad (84)$$

y teniendo en cuenta las definiciones de los rendimientos isentrópicos η_{c2}, η_{t1} y η_{t2} y las relaciones de presión, podemos escribir:

$$q_{ap} = \frac{1}{\eta_{cc}} c_p T_{1a} \left[\frac{T_3}{T_{1a}} - (1 - \varepsilon) \left(1 + \frac{1}{\eta_{c2}} (r'_2 - 1) \right) - \right.$$

$$\left. - \varepsilon \frac{T_{3a}}{T_{1a}} \left[1 - \eta_{t2} \left(1 - \frac{1}{r''_1} \right) \right] + \frac{T_3}{T_{1a}} \left[\left(\frac{T_{3a}}{T_3} - 1 \right) + \eta_{t1} \left(1 - \frac{1}{r''_2} \right) \right] \right] \tag{85}$$

El rendimiento del ciclo será el cociente entre el trabajo neto y el calor aportado.

Ejemplo n.º 10

En una turbina de gas de ciclo regenerativo con dos etapas de compresión y dos etapas de expansión, el aire entra a 1 bar y 25 °C. Sobre las siguientes condiciones de funcionamiento (no se considera caída de presión en las cámaras de combustión):

$$\eta_c = 0,85$$
$$\eta_t = 0,90$$
$$\eta_{cc} = 1$$
$$\theta = 3$$
$$\varepsilon = 0,75$$
$$r = 9$$

determinar el rendimiento del ciclo, el trabajo neto y el calor aportado. Se supondrá que las dos etapas de compresión tienen el mismo rendimiento que una etapa y que ocurre lo mismo con las dos etapas de expansión. En la compresión, la refrigeración intermedia lleva a las condiciones iniciales y, en la expansión, el recalentamiento intermedio conduce a la misma temperatura que la de la entrada en la primera etapa (Fig. 2.15).

El trabajo neto específico será el mismo que hemos obtenido en el ejemplo n.º 9, puesto que la presencia del recuperador no modifica la obtención de trabajo; por tanto:

$$w_n = 175,75 \text{ kJ/kg}$$

En este caso:

$$r'_1 = r'_2 = r''_1 = r''_2 = 3^{0,2857} = 1,3687$$

Para calcular el calor aportado, utilizaremos la ecuación (85). Teniendo en cuenta que:

$$\frac{T_3}{T_{1a}} = \frac{T_{3a}}{T_{1a}} = 3 \quad y \quad \frac{T_{3a}}{T_3} = 1$$

se obtiene:

$$q_{ap} = 498{,}21 \text{ kJ/kg}$$

El rendimiento será:

$$\eta = \frac{175{,}75}{498{,}21} = 0{,}3528$$

En la tabla 2.5, se resumen los resultados obtenidos en los ejemplos 8, 9 y 10.

Tabla 2.5. Resumen de los resultados obtenidos en los ejemplos 8, 9 y 10.

	Sin etapas	Con etapas	Con etapas y recuperador
w_n en kJ/kg	69,22	175,75	175,75
q_{ap} en kJ/kg	291,10	686,56	498,21
η en %	23,78	25,59	35,28

Ejemplo n.º 11

En una turbina de gas de ciclo regenerativo con dos etapas de compresión y dos etapas de expansión, el aire entra a 1,013 bar y 15 ºC. Sobre las siguientes condiciones de funcionamiento:

84

$$\eta_c = 0,85$$
$$\eta_t = 0,90$$
$$\eta_{cc} = 0,98$$
$$\theta = 3,5$$
$$\varepsilon = 0,75$$
$$c = 2\ \%$$
$$r = 8,5$$

determinar el rendimiento del ciclo, el trabajo neto y el calor aportado. Se supondrá que las dos etapas de compresión tienen el mismo rendimiento que una etapa y que ocurre lo mismo con las dos etapas de expansión. En la compresión, la refrigeración intermedia lleva el gas comprimido a una temperatura de 25 °C y, en la expansión, el recalentamiento intermedio conduce a la misma temperatura que la de la entrada en la primera etapa. Considérese gas semiperfecto, utilizando el programa PROPIEDA, para determinar las entalpías y temperaturas isentrópicas (Fig. 2.15)

El planteamiento de este problema es idéntico al del ejemplo n.° 20, que se resuelve con el programa BRAYTON. Ha parecido interesante plantearlo y resolverlo aquí, empleando el programa PROPIEDA, para hacer más patente el proceso de cálculo con gas semiperfecto.

La relación parcial de compresión es:

$$r_1 = 8,5^{1/2} = 2,9155$$

$t_1 = 15\ °C \Rightarrow$ PROPIEDA $\Rightarrow h_1 = 93,18$ kJ/kg
$t_1 = 15\ °C,\ p_1 = 1,013$ bar, $p_2 = 2,953$ bar $\Rightarrow$ PROPIEDA $\Rightarrow t_{2*} =$
   $= 118,64\ °C$
$t_{2*} = 118,64\ °C \Rightarrow$ PROPIEDA $\Rightarrow h_{2*} = 196,83$ kJ/kg

La entalpía a la salida del primer compresor resulta:

$$\frac{196,83 - 93,18}{h_2 - 93,18} = 0,85$$

de donde: $h_2 = 215,12$ kJ/kg.

$h_2 = 215,12$ kJ/kg $\Rightarrow$ PROPIEDA $\Rightarrow t_2 = 136,70$ kJ/kg

$t_{1a} = 25$ °C $\Rightarrow$ PROPIEDA $\Rightarrow h_{1a} = 103,08$ kJ/kg

$t_{1a} = 15$ °C, $p_1 = 2,953\ 4$ bar, $p_2 = 8,6105$ bar $\Rightarrow$ PROPIEDA $\Rightarrow$
    $t_{2*} = 131,93$ °C

$t_{2*} = 118,64$ °C $\Rightarrow$ PROPIEDA $\Rightarrow h_{2*} = 210,30$ kJ/kg

La entalpía a la salida del segundo compresor es:

$$\frac{210,30 - 103,08}{h_{2a} - 103,08} = 0,85$$

de donde: $h_{2a} = 229,22$ kJ/kg.

$h_{2a} = 229,22$ kJ/kg $\Rightarrow$ PROPIEDA $\Rightarrow t_2 = 150,54$ kJ/kg

El trabajo específico de compresión vale:

$$w'_c = 215,12 - 93,18 + 229,22 - 103,08 = 248,08 \text{ kJ/kg}$$

$t_3 = 735,38$ °C $\Rightarrow$ PROPIEDA $\Rightarrow h_3 = 860,96$ kJ/kg

$t\ = 735,38$ °C, $p_3 = 8,6105 - (2\ \%)\ 8,6105 = 8,4383$ bar, $p_4 = 2,9534$
    bar $\Rightarrow$ PROPIEDA $\Rightarrow t_{4*} = 496,31$ °C

$t_{4*} = 496,31$ °C $\Rightarrow$ PROPIEDA $\Rightarrow h_{4*} = 594,47$ kJ/kg

La entalpía a la salida de la primera turbina resulta:

$$\frac{860,96 - h_4}{860,96 - 594,47} = 0,90$$

de donde: $h_4 = 621,12$ kJ/kg.

$t_{3a} = 735,38$ °C $\Rightarrow$ PROPIEDA $\Rightarrow h_{3a} = 860,96$ kJ/kg

$t_{3a} = 15$ °C, $p_{3a} = 2,9534 - (2\ \%)\ 2,9534 = 2,8939$ bar, $p_4 = 1,013$ bar $\Rightarrow$
    PROPIEDA $\Rightarrow t_{4*} = 496,36$ °C

$t_{4a*} = 496,36$ °C $\Rightarrow$ PROPIEDA $\Rightarrow h_{4a*} = 594,52$ kJ/kg

La entalpía a la salida de la segunda turbina es:

$$\frac{860,96 - h_{4a}}{860,96 - 594,52} = 0,90$$

de donde: $h_{4a} = 621,16$ kJ/kg.

$h_{4a} = 621,16$ kJ/kg $\Rightarrow$ PROPIEDA $\Rightarrow t_{4a} = 520,71$ °C

El trabajo específico de expansión es:

$$w_t = 860,96 - 621,12 + 860,96 - 621,16 = 479,64 \text{ kJ/kg}$$

El trabajo neto específico vale:

$$w_n = 479,64 - 248,08 = 231,56 \text{ kJ/kg}$$

La temperatura del gas comprimido a la salida del recuperador resulta:

$$\frac{t_{2b} - 150,54}{520,71 - 150,54} = 0,75$$

de donde: $t_{2b} = 428,17$ °C.

$t_{2b} = 428,17$ °C $\Rightarrow$ PROPIEDA $\Rightarrow h_{2b} = 520,53$ kJ/kg

El calor aportado por unidad de masa tiene un valor de:

$$q_{ap} = \frac{1}{0,98} (860,96 - 520,53 + 860,96 - 621,12) = 592,11 \text{ kJ/kg}$$

y el rendimiento:

$$\eta = \frac{231,56}{592,11} = 0,3911$$

Puede observarse la obtención de resultados idénticos en el ejemplo n.° 20 (para el que se ha utilizado el programa BRAYTON), salvo ligerísimas discrepancias debidas a los errores de redondeo.

7. Ciclos cerrados

La turbina de gas en ciclo cerrado debe incluir necesariamente un enfriador del gas de escape de la turbina para que actúe antes de que éste entre en el compresor. Además, la cámara de combustión se sustituye por un calentador independiente del gas comprimido, de forma que no se da mezcla de aire y combustible. En realidad, dado que hay que calentar el gas, se utiliza una caldera para hacerlo de forma directa.

Es preciso indicar que todas las fórmulas obtenidas en el estudio de los ciclos abiertos son aplicables a los ciclos cerrados, por lo cual no hace falta llevar a cabo ningún análisis especial. En el programa BRAYTON, puede elegirse la opción de cálculo independientemente de que se trate de un ciclo abierto o cerrado.

Los ciclos cerrados (datan de 1939 y los realizó Escher-Wyss, de Suiza) presentan ventajas e inconvenientes [10, 11], que se detallan a continuación.

7.1. Ventajas e inconvenientes de los ciclos cerrados

Las ventajas son:

- Puede utilizarse un gas diferente del aire con el fin de mejorar las prestaciones. Por ejemplo, si se usa nitrógeno o helio, se evitan los problemas de corrosión de los álabes y pueden permitirse temperaturas algo más altas en la entrada de la turbina. Sin embargo, actualmente, el principal gas de trabajo en las instalaciones de ciclo cerrado sigue siendo el aire.
- No existe la limitación de la presión atmosférica a la salida de la turbina y entrada del compresor; pueden utilizarse presiones más elevadas, con la consiguiente reducción del volumen de la unidad y la obtención de mayores potencias.
- El gas de trabajo no entra en contacto con el combustible; por tanto, no existen microcomponentes corrosivos procedentes de la combustión en la turbina ni vapor de agua.
- Es posible regular la potencia modificando la cantidad de gas presente en el circuito. Para ello, basta con disponer de un compresor auxiliar de carga, como se indica en la figura 2.17.

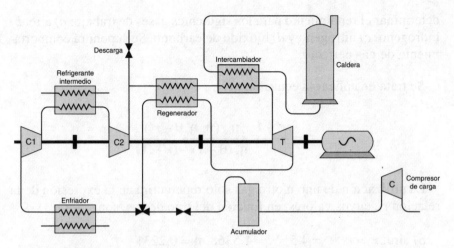

Figura 2.17. Instalación de la turbina de gas de ciclo cerrado con regulación de la potencia mediante el caudal de gas.

Los inconvenientes son:

- Encarecimiento de la instalación por la incorporación de un nuevo elemento: el refrigerador de los gases de escape.
- Encarecimiento general debido a la utilización de elementos sometidos a mayor presión.
- Menor eficacia del calentamiento del gas comprimido, comparado con el calentamiento directo de la cámara de combustión.

Ejemplo n.º 12

Partiendo de las siguientes condiciones de funcionamiento de una turbina de gas en ciclo cerrado simple:

$$\eta_c = 0,85$$
$$\eta_t = 0,90$$
$$\eta_{cc} = 0,98$$
$$\theta = 3$$
$$r = 4,5$$

89

determinar el rendimiento para los siguientes gases de trabajo: *a)* aire, *b)* hidrógeno, *c)* nitrógeno y *d)* bióxido de carbono. Se supondrá comportamiento de gas perfecto.

Se trata de aplicar la ecuación (47):

$$\eta = \frac{r' - 1}{r'} \; \frac{\eta_{cc} \, (\eta_c \, \eta_t \, \theta - r')}{\eta_c \, (\theta - 1) - (r' - 1)}$$

La utilización de uno u otro gas sólo repercutirá en la expresión de la relación r', cuyos valores, en función del tipo de gas, son:

a) aire: $r' = r^{(k-1)/k} = 4{,}5^{0{,}2857} = 1{,}5368$, $\eta = 0{,}2231$

b) hidrógeno: $r' = r^{(k-1)/k} = 4{,}5^{0{,}2883} = 1{,}5428$, $\eta = 0{,}2241$

c) nitrógeno: $r' = r^{(k-1)/k} = 4{,}5^{0{,}2852} = 1{,}5357$, $\eta = 0{,}2229$

d) dióxido de carbono: $r' = r^{(k-1)/k} = 4{,}5^{0{,}2236} = 1{,}3998$, $\eta = 0{,}1927$

8. Influencia de la temperatura de admisión

La temperatura de admisión influye en la potencia neta obtenida, en el calor aportado, en el rendimiento del ciclo y en la temperatura de los gases de escape. Ya habíamos indicado en el apartado 5 del capítulo 1 que las características de funcionamiento de la turbina de gas se especifican a partir de un valor concreto de las condiciones de admisión y por medio de unas gráficas en las que se presentan los parámetros fundamentales en función de la temperatura de admisión.

Una forma evidente de incrementar el rendimiento es aumentando la relación $\theta = T_3/T_1$, tal como puede observarse en el gráfico de la figura 2.7. Para aumentar esta relación, puede elevarse la temperatura T_3 o disminuirse la temperatura T_1. Se puede conseguir [3] el mismo aumento del rendimiento con una menor disminución de T_1 que con un mayor aumento de T_3, es decir es más efectiva la disminución de la temperatura de admisión que el aumento de la temperatura a la salida de la cámara de com-

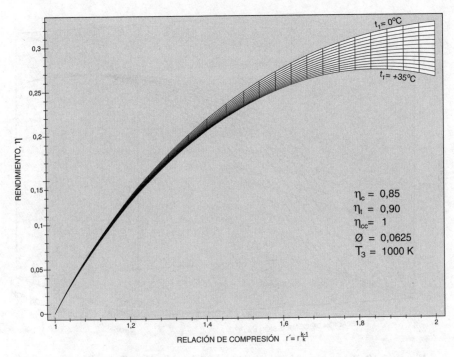

Figura 2.18. Influencia de la temperatura de admisión en el rendimiento.

bustión. Lo que ocurre es que la temperatura de admisión viene determinada por diversos factores y, en general, si se quiere incrementar el rendimiento sin proceder a una recuperación o a una compresión multietapa, no queda otra opción que aumentar T_3. En la figura 2.18, se ha representado una familia de curvas del rendimiento de un ciclo simple abierto, en función de la relación de compresión r', para distintas temperaturas de admisión. Se han utilizado los siguientes valores estándar:

$$\eta_c = 0,85$$
$$\eta_t = 0,90$$
$$\eta_{cc} = 1$$
$$\phi = 0,9960$$
$$c = 1 \%$$
$$T_3 = 1.000 \ K$$

91

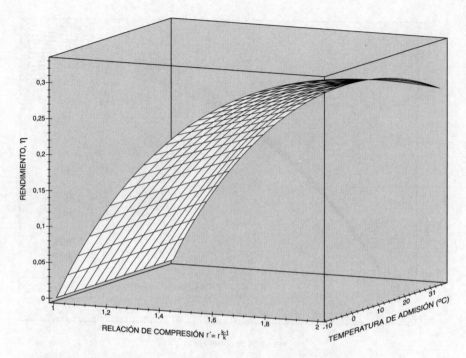

Figura 2.19. Representación tridimensional del rendimiento frente a la relación de presiones r' y la temperatura de admisión.

Obsérvese cómo aumenta el rendimiento al disminuir la temperatura de admisión. En la figura 2.19, se ha efectuado una representación tridimensional del rendimiento en función de la relación r' y de la temperatura de admisión.

Para poner de manifiesto la influencia de la temperatura de admisión utilizaremos un ciclo simple, aunque es evidente que las conclusiones serán extrapolables a todos los demás ciclos abiertos de la turbina de gas.

Recordemos la ecuación (52), que proporcionaba el trabajo neto específico:

$$w_n = c_p \, T_1 \left(\frac{r'-1}{r'} \right) \left[\eta_t \, \theta \, \phi - \frac{r'}{\eta_c} \right]$$

92

o bien, introduciendo la temperatura de admisión:

$$w_n = c_p \left(\frac{r'-1}{r'} \right) \left[\eta_t \, T_3 \, \phi - \frac{r'}{\eta_c} T_1 \right] \tag{86}$$

Obsérvese que (86) es la ecuación de una recta, si T_3 se mantiene constante, de pendiente negativa y que el trabajo neto y, por tanto, la potencia útil obtenida disminuyen linealmente con la temperatura de admisión.

Planteemos ahora la ecuación (54,) que nos permite obtener el calor aportado por unidad de masa:

$$q_{ap} = \frac{1}{\eta_{cc}} \, c_p \, T_1 \left(\theta - 1 - \frac{r'-1}{\eta_c} \right)$$

o bien, en función de T_1:

$$q_{ap} = \frac{1}{\eta_{cc}} \, c_p \left[T_3 - \left(1 + \frac{r'-1}{\eta_c} \right) T_1 \right] \tag{87}$$

que también es la ecuación de una recta de pendiente negativa.

El rendimiento del ciclo resulta:

$$\eta = \frac{r'-1}{r'} \, \frac{\eta_{cc} \, (\eta_c \, \eta_t \, \phi \, \theta - r')}{\eta_c \, (\theta - 1) - (r'-1)}$$

o bien, en función de T_1:

$$\eta = \frac{r'-1}{r'} \, \frac{\eta_{cc} \, (\eta_t \, \phi \, T_3 - T_1 \, r'/\eta_c)}{T_3 - T_1 \, [1 + (r'-1)/\eta_c]} \tag{88}$$

El consumo específico de energía, c_e, se define como:

$$c_e = \frac{3.600 \, q_{ap}}{w_n} \qquad (89)$$

El factor 3.600 se debe a las unidades en que suele expresarse el consumo específico, que son kJ/kWh. Si tenemos en cuenta que, salvo el factor 3.600, su expresión es la inversa del rendimiento, podremos escribir:

$$c_e = \frac{3.600 \, r' \left[T_3 - T_1 \left(1 + \frac{r'-1}{\eta_c} \right) \right]}{(r'-1) \left[\eta_{cc} \left(\eta_t \, \phi \, T_3 - T_1 \frac{r'}{\eta_c} \right) \right]} \qquad (90)$$

Para unas condiciones estándar de:

$$r = 4,5 \; (r' = 1,5368)$$
$$\eta_c = 0,85$$
$$\eta_t = 0,90$$
$$\eta_{cc} = 1$$
$$\phi = 0,9960$$
$$c = 1 \, \%$$
$$T_3 = 1.000 \, K$$

se ha representado el trabajo neto en la ecuación (86), el rendimiento en la ecuación (88) y el consumo específico en la ecuación (90), en función de la temperatura de admisión, en las figuras 2.20, 2.21 y 2.22, respectivamente.

En la actualidad se están utilizando turbinas de gas con un enfriamiento provocado del aire en la admisión. Es evidente que el enfriamiento no debe resultar oneroso por razones obvias. En climas secos, con temperaturas de admisión altas, da buen resultado un enfriamiento evaporativo, pues se trata de un procedimiento que casi no consume energía.

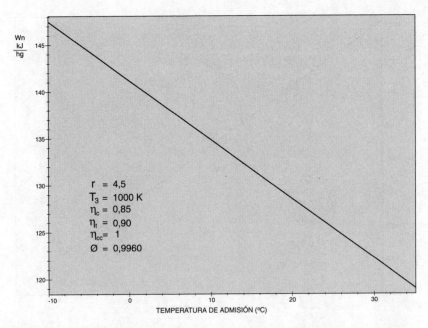

Figura 2.20. Representación del trabajo neto frente a la temperatura de admisión.

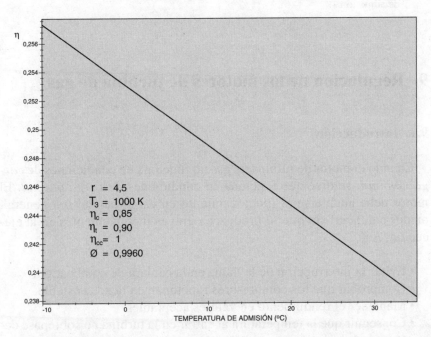

Figura 2.21. Representación del rendimiento frente a la temperatura de admisión.

95

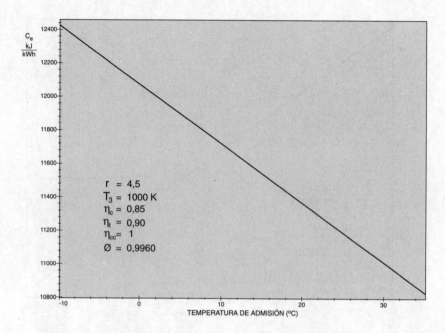

Figura 2.22. Representación del consumo específico frente a la temperatura de admisión.

9. Regulación de los motores de turbina de gas

9.1. Introducción

Cuando el motor de turbina de gas no funciona en condiciones de *carga nominal*, se dice que funciona en condiciones de *carga parcial*. El motor debe adaptarse al funcionamiento en carga parcial (en general, menor potencia) sin que se produzcan graves inconvenientes en la ejecución. Así:

- Evitar la interrupción de la llama en la cámara de combustión.
- Comprobar que los compresores funcionan en la zona estable.
- Mantener el rendimiento en valores aceptables.
- Conseguir que la temperatura al entrar en la turbina no sobrepase determinado valor de seguridad.

96

El funcionamiento en condiciones de carga parcial de una turbina de gas o de una turbina de vapor se rige por la llamada *ley experimental de Stodola* [13]:

$$\frac{\dot{m}}{\dot{m}_n} = \left(\frac{T_{1n}}{T_1} \frac{p_1^2 - p_2^2}{p_{1n}^2 - p_{2n}^2}\right)^{1/2} \tag{91}$$

donde $\dot{m}$ es el caudal másico en condiciones de carga parcial

$\dot{m}_n$ es el caudal másico nominal

T_1 es la temperatura a la entrada de la turbina en condiciones de carga parcial

T_2 es la temperatura a la salida de la turbina en condiciones de carga parcial

T_{1n} es la temperatura nominal a la entrada de la turbina

T_{2n} es la temperatura nominal a la salida de la turbina

p_1 es la presión a la entrada de la turbina en condiciones de carga parcial

p_2 es la presión a la salida de la turbina en condiciones de carga parcial

p_{1n} es la presión a la entrada nominal

p_{2n} es la presión a la salida nominal.

No se pretende en este apartado efectuar un estudio en profundidad del tema de la regulación de los motores de turbina de gas; sólo se dan unas pinceladas para introducir en el tema al lector que encontrará más información en [3, 10 y 13].

Por ejemplo, consideremos un ciclo simple no regenerativo (Fig. 1.1). La ecuación (91), adaptada a los subíndices utilizados en la figura 1.1, sería:

$$\frac{\dot{m}}{\dot{m}_n} = \left(\frac{T_{3n}}{T_3} \frac{p_3^2 - p_4^2}{p_{3n}^2 - p_{4n}^2}\right)^{1/2}$$

o bien:

$$\frac{\dot{m}}{\dot{m}_n} = \frac{p_4}{p_{4n}} \left(\frac{T_{3n}}{T_3} \frac{(p_3/p_4)^2 - (p_4/p_4)^2}{(p_{3n}/p_{4n})^2 - (p_{4n}/p_{4n})^2}\right)^{1/2}$$

Dado que la presión a la salida de la turbina varía poco, podemos simplificar la expresión anterior de la forma que sigue:

$$\frac{\dot{m}}{\dot{m}_n} = \left(\frac{T_{3n}}{T_3} \frac{r^2 - 1}{r_n^2 - 1}\right)^{1/2} \tag{92}$$

En la figura 2.23, se ha representado de forma cualitativa la relación de compresión frente al caudal, para distintas temperaturas de entrada en la turbina, en función de la ecuación (92). Por otra parte, las curvas características de un compresor adoptan la forma indicada en la figura 2.24. Se trata de diferentes curvas correspondientes a la variación de la relación de compresión frente al caudal para distintos números de revo-

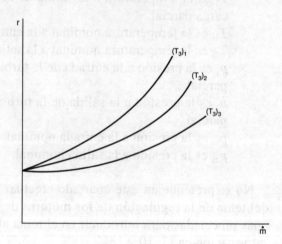

Figura 2.23. Distintas curvas de funcionamiento (relación de compresión frente al caudal) a diferentes temperaturas de admisión en la turbina (salida de la cámara de combustión).

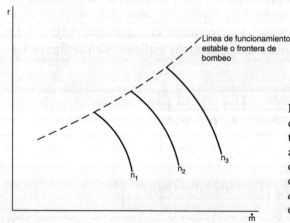

Figura 2.24. Distintas curvas de funcionamiento del turbocompresor axial a diferentes números de revoluciones (la línea de trazos, llamada *línea de bombeo,* representa el límite de la zona estable).

98

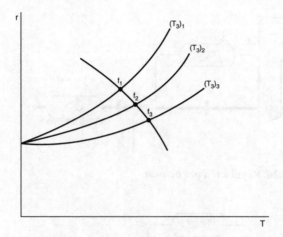

Figura 2.25. Superposición de las curvas de las figuras 2.23 y 2.24 para obtener los puntos de funcionamiento de la turbina de gas.

luciones. Si superponemos ambas gráficas (Fig. 2.25), tenemos los puntos de funcionamiento (f1, f2 y f3 de la figura) del motor de turbina de gas para diferentes condiciones de carga parcial.

9.2. Formas de regulación

Ya hemos indicado anteriormente que no es nuestro propósito entrar a fondo en el tema de la regulación. En este apartado sólo citaremos las formas más usuales.

a) Regulación por *by-pass* de la cámara de combustión:

En la figura 2.26, se incluye un esquema donde se muestra este principio de regulación. Se trata de desviar cierta cantidad de aire antes de que pase por la cámara de combustión para introducirlo directamente en la turbina, o bien en la turbina de alta presión si hay una expansión multietapa.

b) Regulación por expulsión de aire al exterior:

En la figura 2.27, se indica un esquema de este tipo, muy sencillo, de regulación. Se trata de efectuar una extracción de aire en un punto intermedio del compresor, de forma que pueda disponerse de menor potencia que la nominal. Esta disminución del caudal no debe exceder el llamado

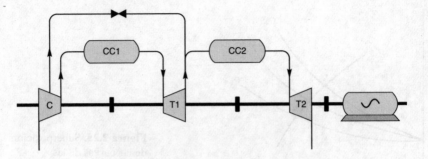

Figura 2.26. Regulación por *by-pass*.

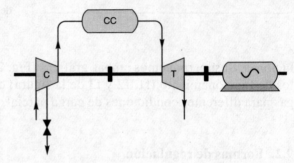

Figura 2.27. Regulación
por expulsión de aire.

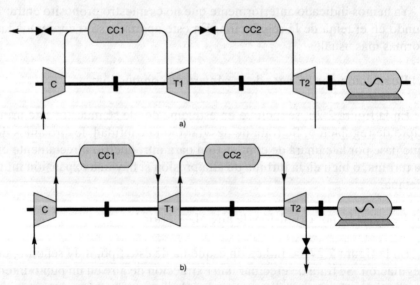

Figura 2.28. Regulación por estrangulación: *a)* del gas de la turbina de baja
y *b)* del gas de escape.

caudal mínimo porque a partir de éste se producirían peligrosas inestabilidades en el compresor.

c) Regulación por estrangulamiento:

En la figura 2.28, se indica un esquema con este tipo de regulación. Hay diversas variantes: por ejemplo, intercalar una válvula de estrangulación a la salida de la cámara de combustión (esquema *a*; obsérvese la válvula que se ha colocado a la salida del compresor para evitar el bombeo con cargas reducidas), o bien colocar la válvula en el escape de la turbina (esquema *b*). Es un sistema de regulación sencillo, aunque presenta el inconveniente de producir pérdidas elevadas.

3
UTILIZACIÓN
DE LOS PROGRAMAS
BRAYTON Y PROPIEDA

1. Qué se puede hacer con estos programas

El programa BRAYTON permite efectuar el análisis termodinámico de los ciclos de turbina de gas en las siguientes variantes:

- Ciclo simple.
- Ciclo simple regenerativo.
- Ciclo con tres etapas de compresión y tres etapas de expansión, como máximo.
- Ciclo con etapas y regenerativo.

Asimismo, permite elegir entre las siguientes opciones:

- Comportamiento de gas perfecto.
- Comportamiento de gas semiperfecto.

Además, se puede seleccionar uno de los gases que se especifican a continuación:

- Aire.
- Hidrógeno.
- Nitrógeno.
- Bióxido de carbono.

El hidrógeno, el nitrógeno y el bióxido de carbono tienen utilidad en el análisis de ciclos cerrados.

El programa PROPIEDA es de factura muy sencilla, por lo que su empleo no requiere mayores explicaciones. Sirve como herramienta de apoyo para la resolución manual de los problemas expuestos en el texto, ya que permite obtener las propiedades termodinámicas de los gases utilizados en los ciclos de turbina de gas. En concreto, el programa PROPIEDA facilita la consecución de los siguientes cálculos:

- Determinación de las propiedades termodinámicas de los principales gases utilizados en los ciclos de turbina de gas.
- Determinación de la temperatura al final de un proceso isentrópico.
- Determinación de calores específicos medios entre dos temperaturas.
- Determinación de la temperatura a partir de la entalpía. Este apartado se ha incluido debido a que en el cálculo de un ciclo de turbina de gas regenerativo, con tratamiento de gas semiperfecto, el balance en el regenerador debe plantearse con entalpías y, por tanto, podemos conocer la temperatura del gas comprimido a la salida del regenerador.

2. Forma de utilización

2.1. Arranque de los programas

Si deseamos utilizar el programa BRAYTON desde el DOS debe teclearse a:\BRAYTON<ENTER>. También puede copiarse en el C, o en cualquier directorio del C, y arrancarse desde esta posición.

Si deseamos utilizar el programa PROPIEDA desde el DOS debe teclearse a:\PROPIEDA<ENTER>. También puede copiarse en el C, o en cualquier directorio del C, y arrancarse desde esta posición. En lo que sigue, haremos referencia únicamente al programa BRAYTON.

2.2. Entrada de datos

Inicialmente el programa facilita información, si se desea, sobre las distintas posibilidades de utilización.

Hay que empezar eligiendo el comportamiento del gas, que será gas ideal perfecto o gas ideal semiperfecto, y el tipo general de ciclo: ciclo simple con posibilidad de recuperación o ciclo con etapas con posibilidad de recuperación. En este caso, sólo se admite un máximo de tres etapas de compresión y de tres etapas de expansión. El número de etapas de compresión y de expansión no tiene por qué coincidir.

A continuación, debemos facilitar la siguiente información de carácter general:

- Tipo de gas utilizado en la turbina de gas. El programa permite la utilización de aire, hidrógeno, nitrógeno y bióxido de carbono.
- Temperatura de aspiración en °C. Los valores admitidos están comprendidos entre −10 y 50 °C.
- Presión de aspiración en bar; entre 0,5 y 30 bar.
- Temperatura a la salida de la primera o única cámara de combustión en °C; entre 500 y 1.300 °C.
- Caudal másico de gas en kg/s; hasta 100 kg/s.
- Relación combustible aire en kg combustible/kg aire. Los valores comunes están entre 0,050 y 0,090. Se admiten valores comprendidos entre 0 y 0,150 kg combustible/kg aire.

Datos solicitados en la opción de ciclo simple:

- Eficacia del recuperador, si lo hay, en %; entre 50 y 100 %.
- Rendimiento isentrópico del compresor en %; entre 50 y 100 %.
- Rendimiento isentrópico de la turbina en %; entre 50 y 100 %.
- Caída de presión en la cámara de combustión, referida a la presión a la entrada de la cámara, en %; entre 0 y 10 %.
- Eficacia de la combustión en %; entre 50 y 100 %.
- Relación de compresión; entre 1 y 20.

Datos solicitados en la opción de ciclo con etapas:

- Eficacia del recuperador, si lo hay, en %; entre 50 y 100 %.
- Número de etapas de compresión, con un máximo de tres.
- Número de etapas de expansión, con un máximo de tres.
- Rendimiento isentrópico de cada compresor en %; entre 50 y 100 %.
- Rendimiento isentrópico de cada turbina en %; entre 50 y 100 %.
- Caída de presión en cada cámara de combustión, referida a la presión a la entrada de la cámara, en %; entre 0 y 10 %.

- Eficacia de la combustión en cada cámara de combustión en %; entre 50 y 100 %.
- Relación de compresión total; entre 1 y 30.
- Temperatura de entrada del segundo y tercer compresor si los hay. Debe ser igual o mayor que la temperatura de entrada del primer compresor. El valor máximo admitido es de 50 ºC.
- Temperatura de salida de la segunda y tercera cámara de combustión si las hay; entre 500 y 1.300 ºC.

2.3. Ejemplos de uso

2.3.1. Introducción

En los ejemplos que siguen, resueltos mediante el programa BRAYTON, subyace la intención de plantear el mismo esquema básico para ir introduciendo mejoras con la finalidad de aumentar el rendimiento.

Ejemplo n.º 13

Una turbina de gas funciona mediante un ciclo abierto simple, sin recuperador, con aire a 15 ºC y 1,013 bar, con una relación de compresión de 8,5 y una relación de temperaturas $\theta = 3,5$. El rendimiento de la combustión es del 98 %, el rendimiento isentrópico de accionamiento del compresor es del 85 % y el de la turbina del 90 %. Hay una caída de presión en la cámara de combustión del 2 %. Efectuar el análisis termodinámico del ciclo mediante el programa BRAYTON. Considérese un caudal másico de 1 kg/s.

La temperatura a la salida de la cámara de combustión será:

$$T_3 = \theta\, T_1 = 3,5 \times (273,15 + 15) = 1.008,53\ K\ (735,38\ ºC)$$

Activamos el programa BRAYTON y vamos introduciendo los datos iniciales en el orden solicitado y con las unidades indicadas. Se obtienen dos pantallas con los siguientes resultados:

DATOS INICIALES

Coeficiente de las adiabáticas	1,4
Calor específico a presión constante en J/kg K	1.004,5
Temperatura a la entrada en °C	15
Presión a la entrada en bar	1,013
Temperatura a la salida de la cámara de combustión en °C	735,38
Relación de compresión	8,5
Rendimiento del compresor en %	85
Rendimiento de la turbina en %	90
Eficacia de la combustión en %	98
Caída de presión en la cámara de combustión en %	2
Caudal másico de gas en kg/s	1
Relación combustible aire en kg/kg	0

RESULTADOS

Temperatura a la salida del compresor en °C	300,81
Temperatura a la salida de la turbina en °C	323,03
Rendimiento del ciclo en %	28,54
Trabajo específico del compresor en kJ/kg	287,096
Trabajo específico de la turbina en kJ/kg	414,208
Trabajo específico neto en kJ/kg	127,112
Calor aportado en kJ/kg	445,434
Potencia de compresión en MW	0,287
Potencia de expansión en MW	0,414
Potencia neta en MW	0,127
Potencia calorífica aportada en MW	0,445

Ejemplo n.º 14

Planteemos exactamente el mismo problema anterior con el tratamiento de gas semiperfecto. Se obtiene:

DATOS INICIALES	
Temperatura a la entrada en °C	15
Presión a la entrada en bar	1,013
Temperatura a la salida de la cámara de combustión en °C	735,38
Relación de compresión	8,5
Rendimiento del compresor en %	85
Rendimiento de la turbina en %	90
Eficacia de la combustión en %	98
Caída de presión en la cámara de combustión en %	2
Caudal másico de gas en kg/s	1
Relación combustible aire en kg/kg	0

RESULTADOS	
Temperatura a la salida del compresor en °C	296,45
Temperatura a la salida de la turbina en °C	349,25
Rendimiento del ciclo en %	28,10
Trabajo específico del compresor en kJ/kg	287,081
Trabajo específico de la turbina en kJ/kg	424,902
Trabajo específico neto en kJ/kg	137,821
Calor aportado en kJ/kg	490,498
Potencia de compresión en MW	0,287
Potencia de expansión en MW	0,425
Potencia neta en MW	0,138
Potencia calorífica aportada en MW	0,490

Ejemplo n.º 15

Se plantea aquí el mismo ciclo básico que en los problemas anteriores, pero con un recuperador cuya eficacia es del 75 %. En este caso se considera comportamiento de gas perfecto. Se obtiene:

DATOS INICIALES

Coeficiente de las adibáticas	1,4
Calor específico a presión constante en kJ/kg	1.004,5
Temperatura a la entrada en ºC	15
Presión a la entrada en bar	1,013
Temperatura a la salida de la cámara de combustión en ºC	735,38
Eficacia del recuperador en %	75
Relación de compresión	8,5
Rendimiento del compresor en %	85
Rendimiento de la turbina en %	90
Eficacia de la combustión en %	98
Caída de presión en la cámara de combustión en %	2
Caudal másico de gas en kg/s	1
Relación combustible aire en kg/kg	0

RESULTADOS

Temperatura a la salida del compresor en °C	300,81
Temperatura a la salida de la turbina en °C	323,03
Temperatura a la salida del recuperador del gas comprimido en °C	317,47
Temperatura a la salida del recuperador del gas de escape de la turbina en °C	306,36
Rendimiento del ciclo en %	29,67
Trabajo específico del compresor en kJ/kg	287,096
Trabajo específico de la turbina en kJ/kg	414,208
Trabajo específico neto en kJ/kg	127,112
Calor aportado en kJ/kg	428,354
Potencia de compresión en MW	0,287
Potencia de expansión en MW	0,414
Potencia neta en MW	0,127
Potencia calorífica aportada en MW	0,428

Ejemplo n.º 16

Repetiremos el ejemplo n.º 14 con el tratamiento de gas semiperfecto.
Se obtiene:

DATOS INICIALES	
Coeficiente de las adibáticas	1,4
Calor específico a presión constante en kJ/kg	1.004,5
Temperatura a la entrada en ºC	15
Presión a la entrada en bar	1,013
Temperatura a la salida de la cámara de combustión en ºC	735,38
Eficacia del recuperador en %	75
Relación de compresión	8,5
Rendimiento del compresor en %	85
Rendimiento de la turbina en %	90
Eficacia de la combustión en %	98
Caída de presión en la cámara de combustión en %	2
Caudal másico de gas en kg/s	1
Relación combustible aire en kg/kg	0

RESULTADOS

Temperatura a la salida del compresor en °C	296,45
Temperatura a la salida de la turbina en °C	349,25
Temperatura a la salida del recuperador del gas comprimido en °C	336,10
Temperatura a la salida del recuperador del gas de escape de la turbina en °C	309,75
Rendimiento del ciclo en %	30,77
Trabajo específico del compresor en kJ/kg	287,081
Trabajo específico de la turbina en kJ/kg	424,902
Trabajo específico neto en kJ/kg	137,821
Calor aportado en kJ/kg	447,860
Potencia de compresión en MW	0,287
Potencia de expansión en MW	0,425
Potencia neta en MW	0,138
Potencia calorífica aportada en MW	0,448

Ejemplo n.º 17

En este ejemplo plantearemos el mismo esquema básico, sin recuperación, pero con una compresión en dos etapas y una expansión en dos etapas, con recalentamiento intermedio hasta la misma temperatura que con una etapa. La refrigeración entre las etapas de compresión enfriará el gas hasta 25 °C. Supondremos comportamiento de gas perfecto.
Se obtiene:

DATOS INICIALES	
Coeficiente de las adiabáticas	1,4
Calor específico a presión constante en kJ/kg	1.004,5
Temperatura a la entrada al compresor I en °C	15
Temperatura a la entrada al compresor II en °C	25
Presión a la entrada en bar	1,013
Temperatura a la salida de la cámara de combustión I en °C	735,38
Temperatura a la salida de la cámara de combustión II en °C	735,38
Relación de compresión parcial	2,92
Relación de compresión	8,5
Rendimiento del compresor I en %	85
Rendimiento del compresor II en %	85
Rendimiento de la turbina I en %	90
Rendimiento de la turbina II en %	90
Eficacia de la combustión en la cámara de combustión I en %	98
Eficacia de la combustión en la cámara de combustión II en %	98
Caída de presión en la cámara de combustión I en %	2
Caída de presión en la cámara de combustión II en %	2
Caudal másico de gas en kg/s	1
Relación combustible aire en kg/kg	0

RESULTADOS

Temperatura a la salida del compresor I en °C	136,23
Temperatura a la salida del compresor II en °C	150,44
Temperatura a la salida de la turbina I en °C	500,16
Temperatura a la salida de la turbina II en °C	500,16
Rendimiento del ciclo en %	26,74
Trabajo específico de compresión en kJ/kg	247,775
Trabajo específico de expansión en kJ/kg	472,559
Trabajo específico neto en kJ/kg	224,784
Calor aportado en kJ/kg	840,669
Potencia de compresión en MW	0,248
Potencia de expansión en MW	0,473
Potencia neta en MW	0,225
Potencia calorífica aportada en MW	0,841

Ejemplo n.º 18

Se plantea aquí el mismo ejemplo anterior, pero con tratamiento de gas semiperfecto. Se obtiene:

DATOS INICIALES

Temperatura a la entrada al compresor I en °C	15
Temperatura a la entrada al compresor II en °C	25
Presión a la entrada en bar	1,013
Temperatura a la salida de la cámara de combustión I en °C	735,38
Temperatura a la salida de la cámara de combustión II en °C	735,38
Relación de compresión parcial	2,92
Relación de compresión	8,5
Rendimiento del compresor I en %	85
Rendimiento del compresor II en %	85
Rendimiento de la turbina I en %	90
Rendimiento de la turbina II en %	90
Eficacia de la combustión en la cámara de combustión I en %	98
Eficacia de la combustión en la cámara de combustión II en %	98
Caída de presión en la cámara de combustión I en %	2
Caída de presión en la cámara de combustión II en %	2
Caudal másico de gas en kg/s	1
Relación combustible aire en kg/kg	0

RESULTADOS

Temperatura a la salida del compresor I en °C	136,70
Temperatura a la salida del compresor II en °C	150,53
Temperatura a la salida de la turbina I en °C	520,68
Temperatura a la salida de la turbina II en °C	520,68
Rendimiento del ciclo en %	26,04
Trabajo específico de compresión en kJ/kg	248,091
Trabajo específico de expansión en kJ/kg	479,653
Trabajo específico neto en kJ/kg	231,562
Calor aportado en kJ/kg	889,359
Potencia de compresión en MW	0,248
Potencia de expansión en MW	0,480
Potencia neta en MW	0,232
Potencia calorífica aportada en MW	0,889

Ejemplo n.º 19

Se considera en este caso el mismo ejemplo base, pero con etapas, recuperador del 75 % de eficacia y tratamiento de gas perfecto. Se obtiene:

DATOS INICIALES

Temperatura a la entrada al compresor I en °C	15
Temperatura a la entrada al compresor II en °C	25
Presión a la entrada en bar	1,013
Temperatura a la salida de la cámara de combustión I en °C	735,38
Temperatura a la salida de la cámara de combustión II en °C	735,38
Relación de compresión parcial	2,92
Relación de compresión	8,5
Rendimiento del compresor I en %	85
Rendimiento del compresor II en %	85
Rendimiento de la turbina I en %	90
Rendimiento de la turbina II en %	90
Eficacia de la combustión en la cámara de combustión I en %	98
Eficacia de la combustión en la cámara de combustión II en %	98
Eficacia del recuperador en %	75
Caída de presión en la cámara de combustión I en %	2
Caída de presión en la cámara de combustión II en %	2
Caudal másico de gas en kg/s	1
Relación combustible aire en kg/kg	0

RESULTADOS

Temperatura a la salida del compresor I en ºC	136,23
Temperatura a la salida del compresor II en ºC	150,44
Temperatura a la salida de la turbina I en ºC	500,16
Temperatura a la salida de la turbina II en ºC	500,16
Temperatura a la salida del recuperador del gas comprimido en ºC	412,73
Temperatura a la salida del recuperador del gas de escape en ºC	237,87
Rendimiento del ciclo en %	39,31
Trabajo específico de compresión en kJ/kg	247,775
Trabajo específico de expansión en kJ/kg	472,559
Trabajo específico neto en kJ/kg	224,784
Calor aportado en kJ/kg	571,819
Potencia de compresión en MW	0,248
Potencia de expansión en MW	0,473
Potencia neta en MW	0,225
Potencia calorífica aportada en MW	0,572

Ejemplo n.º 20

Se plantea aquí el mismo ejemplo anterior, pero con tratamiento de gas semiperfecto. Se obtiene:

DATOS INICIALES	
Temperatura a la entrada al compresor I en °C	15
Temperatura a la entrada al compresor II en °C	25
Presión a la entrada en bar	1,013
Temperatura a la salida de la cámara de combustión I en °C	735,38
Temperatura a la salida de la cámara de combustión II en °C	735,38
Relación de compresión parcial	2,92
Relación de compresión	8,5
Rendimiento del compresor I en %	85
Rendimiento del compresor II en %	85
Rendimiento de la turbina I en %	90
Rendimiento de la turbina II en %	90
Eficacia de la combustión en la cámara de combustión I en %	98
Eficacia de la combustión en la cámara de combustión II en %	98
Eficacia del recuperador en %	75
Caída de presión en la cámara de combustión I en %	2
Caída de presión en la cámara de combustión II en %	2
Caudal másico de gas en kg/s	1
Relación combustible aire en kg/kg	0

121

RESULTADOS

Temperatura a la salida del compresor I en °C	136,70
Temperatura a la salida del compresor II en °C	150,53
Temperatura a la salida de la turbina I en °C	520,68
Temperatura a la salida de la turbina II en °C	520,68
Temperatura a la salida del recuperador del gas comprimido en °C	428,14
Temperatura a la salida del recuperador del gas de escape en °C	248,24
Rendimiento del ciclo en %	39,11
Trabajo específico de compresión en kJ/kg	248,091
Trabajo específico de expansión en kJ/kg	479,653
Trabajo específico neto en kJ/kg	231,562
Calor aportado en kJ/kg	592,134
Potencia de compresión en MW	0,248
Potencia de expansión en MW	0,480
Potencia neta en MW	0,232
Potencia calorífica aportada en MW	0,592

Ejemplo n.º 21

En este caso, planteamos el mismo ejemplo anterior, con una eficiencia del 50 %. Se obtiene:

DATOS INICIALES

Temperatura a la entrada al compresor I en °C	15
Temperatura a la entrada al compresor II en °C	25
Presión a la entrada en bar	1,013
Temperatura a la salida de la cámara de combustión I en °C	735,38
Temperatura a la salida de la cámara de combustión II en °C	735,38
Relación de compresión parcial	2,92
Relación de compresión	8,5
Rendimiento del compresor I en %	85
Rendimiento del compresor II en %	85
Rendimiento de la turbina I en %	90
Rendimiento de la turbina II en %	90
Eficacia de la combustión en la cámara de combustión I en %	98
Eficacia de la combustión en la cámara de combustión II en 5	98
Eficacia del recuperador en %	50
Caída de presión en la cámara de combustión I en %	2
Caída de presión en la cámara de combustión II en %	2
Caudal másico de gas en kg/s	1
Relación combustible aire en kg/kg	0

RESULTADOS

Temperatura a la salida del compresor I en °C	136,70
Temperatura a la salida del compresor II en °C	150,53
Temperatura a la salida de la turbina I en °C	520,68
Temperatura a la salida de la turbina II en °C	520,68
Temperatura a la salida del recuperador del gas comprimido en °C	335,60
Temperatura a la salida del recuperador del gas de escape en °C	342,38
Rendimiento del ciclo en %	33,41
Trabajo específico de compresión en kJ/kg	248,091
Trabajo específico de expansión en kJ/kg	479,653
Trabajo específico neto en kJ/kg	231,562
Calor aportado en kJ/kg	693,062
Potencia de compresión en MW	0,248
Potencia de expansión en MW	0,480
Potencia neta en MW	0,232
Potencia calorífica aportada en MW	0,693

Ejemplo n.º 22

Terminaremos esta serie de ejemplos resueltos con el programa BRAYTON planteando el mismo problema anterior, pero con una relación combustible aire de 0,05 kg /kg. Supondremos una eficiencia del recuperador del 50 % y tratamiento de gas semiperfecto. El objetivo final es reunir todos los resultados obtenidos en una tabla comparativa para que el lector pueda extraer sus propias conclusiones.

DATOS INICIALES	
Temperatura a la entrada al compresor I en °C	15
Temperatura a la entrada al compresor II en °C	25
Presión a la entrada en bar	1,013
Temperatura a la salida de la cámara de combustión I en °C	735,38
Temperatura a la salida de la cámara de combustión II en °C	735,38
Relación de compresión parcial	2,92
Relación de compresión	8,5
Rendimiento del compresor I en %	85
Rendimiento del compresor II en %	85
Rendimiento de la turbina I en %	90
Rendimiento de la turbina II en %	90
Eficacia de la combustión en la cámara de combustión I en %	98
Eficacia de la combustión en la cámara de combustión II en %	98
Eficacia del recuperador en %	50
Caída de presión en la cámara de combustión I en %	2
Caída de presión en la cámara de combustión II en %	2
Caudal másico de gas en kg/s	1
Relación combustible aire en kg/kg	0,05

RESULTADOS

Temperatura a la salida del compresor I en °C	136,70
Temperatura a la salida del compresor II en °C	150,53
Temperatura a la salida de la turbina I en °C	520,68
Temperatura a la salida de la turbina II en °C	520,68
Temperatura a la salida del recuperador del gas comprimido en °C	335,60
Temperatura a la salida del recuperador del gas de escape en °C	358,84
Rendimiento del ciclo en %	34,07
Trabajo específico de compresión en kJ/kg	248,091
Trabajo específico de expansión en kJ/kg	515,627
Trabajo específico neto en kJ/kg	267,536
Calor aportado en kJ/kg	785,151
Potencia de compresión en MW	0,248
Potencia de expansión en MW	0,516
Potencia neta en MW	0,268
Potencia calorífica aportada en MW	0,785

En la siguiente tabla, se indica un cuadro comparativo de los resultados obtenidos en los ejemplos precedentes.

Tabla 3.1.

	Ciclo simple sin recuperador		Ciclo simple con recuperador		Ciclo con etapas con recuperador del 50 %	Ciclo con etapas con recuperador del 50 %
	GIP (13)	GIS (14)	GIP (15)	GIS (16)	RCA = 0 kg/kg	RCA = 0,05 kg/kg
w_n (kJ/kg)	127,1	137,8	127,1	137,8		
q_{ap} (kJ/kg)	445,4	490,5	428,35	448,8		
η %	28,54	28,10	29,67	30,78		
	Ciclo con etapas sin recuperador		Ciclo con etapas con recuperador del 75 %			
	GIP (17)	GIS (18)	GIP (19)	GIS (20)	GIS (21)	GIS (22)
w_n (kJ/kg)	224,8	231,6	224,8	231,6	231,6	267,5
q_{ap} (kJ/kg)	840,7	889,4	571,8	589,4	693,1	785,2
η %	26,74	26,04	39,31	39,29	33,41	34,07

Nota: entre paréntesis se indica el número correspondiente al ejemplo del texto.
    GIS indica gas ideal semiperfecto.
    GIP indica gas ideal perfecto.

NOMENCLATURA

A área en m^2

A el término $\eta_c\,\eta_t\,\theta$

B el término $\eta_c(\theta - 1) + 1$

c caída de presión en la cámara de combustión en %

c_p calor específico a presión constante en J/kg K

c_v calor específico a volumen constante en J/kg K

e exceso de aire, $e = \lambda_r\,/\lambda_o$

h entalpía específica en J/kg

k exponentes de los procesos adiabáticos reversibles

$\dot{m}$ caudal másico de gas en kg/s

$\dot{m}_a$ caudal másico de aire en kg/s

$\dot{m}_g$ caudal másico de gases de combustión en kg/s

p presión en Pa o bar, según el contexto

q tasa calorífica por kg de gas en W/kg

q el exponente $(k-1)/k$

q_{ap} calor aportado en W/kg

Q tasa de calor o potencia calorífica en W

r relación de compresión, $r = p_2/p_1$

r' la relación $r^{(k-1)/k}$

r'' la relación $(p_2/p_1)^{(k-1)/k}$

R la constante universal de los gases, $R = 8314$ J/kmol K

R' la constante específica del gas en J/kg K

R_{ca} relación combustible aire en kg/kg

s entropía específica en J/kg K

T temperatura, en °C o K, según el contexto

u energía interna específica en J/kg

U coeficiente global de transmisión de calor en W/m² K

w_c trabajo específico de compresión (termodinámicamente tiene signo negativo) en J/kg

w'_c trabajo específico de compresión, con signo positivo, en J/kg

w_t trabajo específico de expansión en J/kg

w_n trabajo específico neto en J/kg

Letras griegas

η_c rendimiento isentrópico de accionamiento del compresor

η_t rendimiento isentrópico en el eje de la turbina

η_{ci} rendimiento isentrópico interno del compresor

η_{ti} rendimiento isentrópico interno de la turbina

η_m rendimiento mecánico

η_{cc} eficacia de la combustión

θ la relación T_3/T_1

ϕ la relación $[(r'' - 1)/r'']/[(r' - 1)/r']$

λ_o relación aire combustible mínima necesaria

λ_r relación aire combustible real

ε eficacia del recuperador

Subíndices

Los subíndices se han empleado principalmente para indicar las entradas y salidas de los elementos de la instalación de la turbina de gas. Se ha utilizado un criterio común que permite identificar con facilidad el estado correspondiente. Así:

1,2; 1a,2a; 1b,2b indican siempre las entradas y salidas de los compresores
3,4; 3a,4a; 3b,4b indican siempre las entradas y salidas de la turbina
3, 3a, 3b son siempre salidas de la cámara de combustión

Superíndices

o indica un estado de referencia.

130

BIBLIOGRAFÍA

[1]   MORAN, M. J., y H. N. SHAPIRO, *Termodinámica técnica*, Reverté, Barcelona, 1994.

[2]   FAIRES, V. M., *Termodinámica*, UTEHA, México, 1965.

[3]   MATAIX, C., *Turbomáquinas térmicas*, Dossat, Madrid, 1988.

[4]   MIRANDA, A. L., y R. OLIVER, *La combustión*, Grupo Editorial CEAC, Barcelona, 1996.

[5]   *English, Wachtl Charts of Thermodynamic Properties of Air Combustion Producs,* NACA Tecn. Note 2071, 1950.

[6]   KEENAN, J. H., y J. KAYE, *Gas Tables, Thermodynamic Properties of Air, Producs of Combustion and Component Gases*, John Wiley and Sons, Inc., Nueva York, 1996.

[7]   JUTGLAR, L., *Cogeneración de calor y electricidad*, Grupo Editorial CEAC, Barcelona, 1996.

[8]   BORRÁS, E., *Gas natural*, Editores Técnicos Asociados, Barcelona, 1987.

[9]   *Turbomachinery Handbook, 1994*, Turbomachinery International, Norwolk (Connecticut), 1994.

[10]   VIVIER, L., *Turbinas de vapor y de gas*, Urmo, Bilbao, 1968.

[11]   DIXON, S. L., *Termodinámica de las turbomáquinas*, Dosat. Madrid, 1978.

[12]   COHEN, H., G. F. C. ROGERS, y H. I. H. Saravanamuttoo, *Teoría de las turbinas de gas,* Marcombo, Barcelona, 1983.

[13] STODOLA, A., *Steam and gas turbines*, Peter Smith, Nueva York, 1945.

[14] OATES, G., *Aerothermodynamics of gas turbine and rocket propulsion*, AIAA, Nueva York, 1984.

[15] WHITTLE, F., *Gas turbine aero-thermodynamics*, Pergamon Press, Nueva York, 1981.

INDICE